《現代漢語詞典》第五版修訂計量研究

萬　茹著

文史哲出版社印行

國家圖書館出版品預行編目資料

《現代漢語詞典》第五版修訂計量研究 / 萬茹著.-- 初版 -- 臺北市：文史哲,民 100.11
頁； 公分（文史哲學集成；609）
參考書目：頁
ISBN 978-957-549-994-5（平裝）

1.漢語詞典 2.量性研究

802.3031　　100024602

文史哲學集成 609

《現代漢語詞典》第五版修訂計量研究

著者：萬茹
出版者：文史哲出版社
http:// www.lapen.com.tw
e-mail：lapen@ms74.hinet.net
登記證字號：行政院新聞局版臺業字五三三七號
發行人：彭正雄
發行所：文史哲出版社
印刷者：文史哲出版社
臺北市羅斯福路一段七十二巷四號
郵政劃撥帳號：一六一八〇一七五
電話886-2-23511028 · 傳真886-2-23965656

定價新臺幣三八〇元

中華民國一百年（2011）十一月初版

ISBN 978-957-549-994-5　　00609

序

萬茹的《〈現代漢語詞典〉第五版修訂計量研究》馬上就要付梓了，她很高興，而我比她更高興，因爲這是我指導的碩士研究生中第一位出學術著作的。她讓我給她的這部學術著作寫個序言，我自然非常樂意。

早在 2005 年北京商務印書館主辦的香山會議前夕，我就有一個想法：通過考察《現代漢語詞典》持續半個世紀的修訂來尋找現代漢語詞彙的發展演變軌跡。現在想想，這其實有難度，而且難度不小。當時我把這個想法同商務印書館的周洪波副總編說了，沒想到他也曾有這個想法，只是苦於沒有太多的時間和精力去做這件有意義的事情。2006 年，新的一屆研究生進校了，分到我名下的有 4 位，研一期間，學生的課務很重，但擠壓一下，還是有富餘的時間的，於是就把他們召集起來，向他們佈置了這個任務，每人比較不同時代的兩部《現代漢語詞典》，看看兩者究竟存在哪些差異。由於工作量實在太大，到研二的時候，有些還沒做完的，也就放下來了，只有萬茹，因爲比較的是最近的兩部《現代漢語詞典》，覺得可以作爲其畢業論文的，所以讓她繼續做下去，其他同學則開始做別的題目了，因爲我的學生的碩士學位論文都有很大的工作量，一般都要寫到 6 萬字以上，所以研二開始就得動手了，否則來不及。就這樣，萬茹一直做了三年，才把這個題目徹底做完。那就是呈現在大家眼前的這部學術著作。

據我所知，國內做《現代漢語詞典》比較的大有人在，但是像萬茹這樣的，憑一個人的能力和精力，將《現代漢語詞典》第五版與第四版做了一個全面的系統的比較，內容涉及義項、釋義、引例、條目等的增、刪、改、換，而且全部一一計量統計的，好像還沒有看到第二個人。我每年都在審閱別的學校送審的碩士學位論文，有的也是做《現代漢語詞典》或別的詞典的修訂研究的，但要麼是就一個方面來談，要麼只是列舉一下現象而不用計量統計的方法，這些論文是有些吃虧的，因爲我看了萬茹的論文，再看他們的，怎麼可能給予很好的評價呢？

萬茹的這部《〈現代漢語詞典〉第五版計量研究》，概括起來，有這麼幾個特點：（1）討論全面系統；作者將《現代漢語詞典》第五版的所有修訂項目和內容全部納入討論的範圍，並不加選擇，是名副其實的全面系統研究。（2）全程計量考察；作者對《現代漢語詞典》第五版修訂的任何一個項目，如詞典引例的修訂，由無到有——增加的有多少例，由有到無——減少的有多少例，作文字修改的有多少例，整個例子被置換的有多少例，全都採用計量統計的方法，用數據說話，不作推測、估量；（3）注重理論歸納。作者有理論的自覺意識，在計量統計的同時，對所進行的修訂尋找理論依據，並盡可能地從理論層面作出合理的解釋；同時，對所討論的修訂項目，往往能透過數據歸納其修訂的特點。正因爲如此，她的這部書稿被評爲當年蘇州大學語言學專業幾十名研究生中唯一的一篇校級優秀碩士學位論文。其中的用例修訂部分和義項修訂部分由於做得特別精彩，所以我將它們分別推薦給了《語言研究》主編黃樹先教授和《學術交流》編輯部文史室主任曹金鐘編審，得到了他們的熱情支援，先後予以發表，這是蘇州大學語言學專業歷史上從未發生過的事情。

漢語詞彙史的建構是我們今後較長一段時間內所面臨的一項重要工作，其中也包括這百年來的現代漢語詞彙史的建構。作爲一部與現代漢語詞彙發展潮流俱進的重要詞典，《現代漢語詞典》的歷次修訂也會或多或少反映詞彙發展演變的脈絡和線索，這是需要我們獨具慧眼去探尋的。萬茹的這部著作爲我們開了個好頭，我們，也包括萬茹，還要繼續努力，參與到漢語詞彙史的建構這項偉大的工程中去，用我們的勤奮與智慧去建功立業！

是爲序。

曹煒　2011 年初冬

於臺北東吳大學外雙溪校區德舍寓所

《現代漢語詞典》第五版修訂計量研究

目　次

第一章　引　言

一、研究現狀與意義

《現代漢語詞典》（以下簡稱《現漢》）從試用本（1965）、第 1 版（1978）、第 2 版（1983）、第 3 版（1996）、第 4 版（2002 年增補版）直到第 5 版（2005），已經歷了 50 載。“語言文化的發展、科學技術的發展、語言載體的發展、學術理論的發展以及詞典的市場競爭等，都會成爲詞典修訂的動因。”[1]《現代漢語詞典》不間斷的週期性的修訂是中國辭書史上的一段佳話、一個創舉，也是漢語規範史上具有里程碑意義的一項重大實踐。關於《現漢》歷次修訂的研究，不僅對漢語辭書編纂具有指導意義，而且也會給漢語規範史的研究提供素材和依據。與此同時，《現漢》的修訂也反映了現代漢語詞彙的發展演變。從某種意義上來講，長達近乎半個世紀的《現漢》修訂史也是半個世紀以來現代漢語詞彙的發展史。

《現漢》第 5 版（下簡稱新版），在歷次修訂之中，用時最長，用力最勤，可以稱得上是舊貌換新顏，具體體現在以下幾方面：“一、標注詞類；二、增加新詞新義；三、刪除某些舊詞舊

1 章宜華　雍和明：《當代詞典學》，第 331-336 頁，商務印書館，2007。

義；四、對內容進行全面修訂。”[2]對此，學者們紛紛提出自己的意見與看法，發表了不同的見解，義項、釋義、用例、詞目、詞性標注方面均有涉及。但是，就目前的研究，以計量的方式來描寫兩版本之間不同的論文較少，特別是釋義表述和用例兩方面，完全的資料統計分析更是寥寥無幾，大都是零散的、舉例性的對比研究，缺乏資料的支撐。我們將新版與第 4 版（下簡稱“舊版”）兩本詞典作了全面對比，以計量的方式來描寫兩版詞典中義項、釋義、用例、詞目的變化，希望通過詳盡的計量描寫來呈現新舊兩版的不同之處。

“詞彙的共時運動形式是詞彙整體運動形式的基礎，它的存在不僅是必然的，而且是必要的，它在體現了詞彙的漸變性和可描寫性的同時，又充分地體現著詞彙的運動的絕對性。”[3]如何細緻和具體的反映這種語言漸變的現象，方式是多樣的。現代漢語詞彙發展演變的軌跡和線索可以從人們的日常口語中去發現，也可以從我們幾乎每天接觸的媒體語言中去尋找，還可以從不同時期作家的文學作品中去獲取。但恐怕誰也不能否認，作為一部與時俱進、以確定詞彙規範和適應社會發展需要為己任、對自然語言進行高度概括和真實描寫、客觀忠實地反映不同時期現代漢語詞彙的基本概貌的語文辭書，《現漢》的修訂也從一個方面反映了現代漢語詞彙的發展演變 —— 她的每一個版本都是當時現代漢語詞彙概貌的真實寫照，而通過考察不同時期不同版本間收詞的差異、立目的差異、詞義項的增減、詞義表述的差異、用例的差異等等，確實可以從一個方面把握現代漢語詞彙發展演變的脈絡。

2 何九盈：《語言文字應用》J.2006,01。
3 葛本儀：《現代漢語詞彙學》，第 286 頁，山東人民出版社，2004。

二、研究範圍和方法

本文把新版和舊版兩本詞典作定量的研究範圍，是從中文拼音“A”字母頭至“Z”字母頭（不包括：後面附錄的西文字母頭的詞語），新版的頁數有 1830 頁，舊版的頁數有 1731 頁（包括附錄中的新詞新義），合計 3561 頁。在材料準備階段，我們將新版與舊版作一個全面的對比，按順序一個詞條一個詞條地往下看，發現不同的地方就做標記，並及時輸入電腦進行分類。義項有變化我們便歸入“義項修訂類”；釋義表述有差異，我們便歸入“釋義修訂類”；用例中有不同，我們便歸入“用例修訂類”；詞目有增刪的情況，我們便歸入“詞目增刪類”。每對發生變化的詞條，我們都會標記新舊版本的頁碼。材料準備完畢之後，我們再聯繫詞典學、詞彙學理論進行更細緻的篩選與分類，做計量分析。正如蘇新春等認爲，並非只有實驗的方法才屬於定量的研究方法，“只要對研究物件進行過‘數’的系統反映，並通過‘數’來在再現語料的內在規律、特點，就都應該歸屬於定量研究的範圍”。[4]我們希望以定量統計的方式描寫新版對舊版各方面修訂的同時，能夠找到詞語變化的特點與規律，並從中發現十年[5]來，時代的變化、人們思想認識的變化、以及語言自身的變化對現代漢語產生的影響。

4 蘇新春：《漢語詞彙計量研究》，第 11 頁，廈門大學出版社，2002。

5 我們對比的是《現漢》第 5 版和《現漢》第 4 版即 2002 年增補版本，但是 2002 年增補版本與《現漢》第 3 版即 1996 年版無太大區別，所以我們實際上是通過詞典修訂考察了 1996-2005 年詞彙的發展變化。

第二章　義項修訂計量考察[1]

語文詞典中的義項是人們對詞義進行概括加工的產物，它既反映客觀實際，又帶有一定的主觀性。不同性質的辭書，由於功能、物件等的不同，對義項的收錄、設立又有一定的靈活性，但這並不代表義項的設立有著很大的隨意性，相反每本辭書中義項設立都應十分嚴格。因爲辭典編纂者與辭典使用者達成的默契是“如果辭書收入某一個義項，那麼它反映的是一個客觀存在的義位；如果辭典不收入一個義項，要麼這一個義項不存在，要麼不在該辭典的收詞範圍之中。”[2]《現漢》以現代普通話通用語彙作爲主要的解釋物件，會吸收使用頻率較高的義項，而捨棄部分生僻的、不具備一般交際意義的義項，同時，也會根據語詞使用的變化和政治、經濟、文化等社會生活的發展動態對義項進行修正和增刪。如何在最大程度上正確的反映現代漢語層面詞義基本概貌，是《現漢》修訂的出發點。新版對義項的修訂，涉及義項的增補、義項的刪減、義項的分合等方面。有些條目的義項修訂也

1 義項修訂計量考察，與我們發表的文章《現代漢語義項修訂計量考察》（載《學術交流》2007 年 11 期）中資料有些許出入，是因爲分類上我們做了一些調整，如有些我們開始判定爲義項增加的類別，如今歸入了義項分解的類別，還有一部分義項的變化未納入到本章節中討論，我們行文中會有說明。

2 李爾鋼：《詞義與辭典釋義》，第 199 頁，上海辭書出版社，2006。

會綜合以上各個方面，但是由於我們的計量以義項數爲單位，所以我們對於同一條目下義項的綜合變化不再單列討論，而是將其歸入各自的類別討論。

一、義項的增加

在辭典中，義項的增加一般表現爲單義詞變爲多義詞，或者多義詞的意義更加豐富。“詞義是表示概念的，因此，詞的義項增多就是表現爲同一詞的形式所表示的概念的增加，從而影響到了該詞新義的增多、豐富和發展。”[3]《現漢》在反映詞義演變規律的同時，還會根據自身的體例對義項進行適當的補充。新增加的義項與固有義項之間一般有著語義、語法上的聯繫與區別。本節主要從聯繫與區別的角度分析新版增加義項的情況，所以我們的計量統計不涉及以下幾個方面：（1）姓氏義項的增加；（2）因主副條互相轉變而引起的義項的增加；[4]（3）因字形、詞形不同而引起的義項的增加。[5]據考察，除以上幾個方面義項增加之外，新版涉及義項增加的條目共有 809 個，共增加義項 830 條，其中實詞義項 697 條，虛詞義項 40 條，非詞語素義項 83 條，短語義項 10 條。我們將對實詞義項、虛詞義項、非詞語素義項、短

3 葛本儀：《現代漢語詞彙學》，第 248 頁，山東人民出版社，2004。

4 因主副條轉變而引起義項的增加，如：[踏實]：舊版：同“塌實”。新版：①（工作或學習的態度）切實；不浮躁。②（情緒）安定、穩定。“踏實”新版義項數量的增加，是因爲舊版將“塌實”作爲主條，新版將“踏實”作爲主條，“塌實”作爲副條。這是新版對主、副條重新編排的問題，這裏義項的增加實際上並不是義項的變化。

5 因字形、詞形不同引起的義項的增加，如：[暉]：舊版：陽光。新版：①陽光。②同“輝”。新版增加的義項是僅因爲“輝”與“暉”的字形不同。

語義項的增加分別進行討論。

（一）實詞義項的增加

新版增加的實詞義項共 697 條，占增加總義項數的 83.98%，是新版義項增加的主體。其中，名詞義項共計 336 條，動詞義項 257 條，形容詞義項 84 條，量詞義項 12 條，代詞義項 5 條，擬聲詞義項 2 條，數詞義項 1 條。我們將對這 697 條實詞義項增加的途徑進行逐一分析，並作計量統計。

關於詞義項產生的途徑問題，目前各家的說法還是不盡相同，如：葛本儀先生認為多義詞義項產生的方法與手段有四種即：引申法、比喻法、借代法、特指法；[6]曹煒先生提出的詞義項的派生式增加和詞義項的非派式增加[7]：派生式增加即新出現義項由固有義項派生而來，分為詞義擴大、詞義縮小以及詞義轉移，非派生式增加即新出現的義項同固有義一樣均來自語素義或組合；符淮清先生根據多義詞的聯繫提出的兩種途徑即：由關聯性聯想引出的引申義和由相似性聯繫想引出的比喻義；[8]蘇寶榮先生提出的語義、語法二者兼而有之的功能義[9]即增加的義項是因固有義項詞性（或語法功能）變化形成；還有認知語言學上提出的隱喻和轉喻在詞義演變中的重要作用[10]等等。

在學習以上各家觀點和聯繫詞典實際情況的基礎上，我們將詞典中實詞義項的增加途徑分為語義的延伸、詞性（語法功能）

6　葛本儀：《現代漢語詞彙學》，第 180-183 頁，山東人民出版社，2004。
7　曹煒：《現代漢語詞義學》，第 155 頁-163 頁，學林出版社，2001。
8　符淮青：《現代漢語詞彙》，第 73-78 頁，北京大學出版社，2005。
9　蘇寶榮. 詞的語境義和功能義[J].辭書研究 2001/01.
10　盧植：《認知與語言》，第 160-187 頁，上海教育出版社，2006.

的變化、不同語素義的汲取、外來詞義的吸收四種類型。由於詞典增加義項來源比較複雜，所增補的義項並不都是具有時代特色的最新義項。在時間方面，有些義項可能早就已經出現，但由於某種原因，舊版未予收錄，而到新版予以增補，但只要義項所出現的時間在共時階段，就能在一定程度上反映詞義的發展，就在我們討論的範圍之內；在地域方面，新版會吸收使用頻率較高的方言義、外來義。方言義的增加，我們按照新增方言義項與固有義項在語義、語法上的關係，分別計量討論。外來義的增加主要是新版對外來詞義項的再吸收，所以我們單獨作計量分析。

爲了比較準確的反映詞義的發展，我們將以下幾種義項的增加作爲“其他情況”另立條目討論：（1）凡是新增義項中標注〈書〉、〈古〉，釋文中標“舊”、“白話”等的另作討論。（2）固有義項爲語素義項，與之密切聯繫的新增義項爲詞義項的情況另作討論。（3）因名稱不同而增補的副條義項，如俗稱、通稱等，另作討論。（4）有些詞語所增義項雖在共時範圍之內，但其義項排序第一位，不易考察其演變規律，也另作討論。

1.因語義延伸而增加的義項

因語義延伸而增加的義項是指新增義項是固有義項派生而來，在語義上與固有義項既有聯繫又有區別，但在詞性上和固有義項保持一致，此類義項的增加共涉及計 295 條，占實詞義項增加總數的 42.32%。如果舊版的詞語爲多義詞或兼類詞，我們主要通過比較新增義項與幾個固有義項之間聯繫的緊密程度，來判別新增義項由哪一個固有義項派生而來。

語義可以延伸，根本原因在於新義與固有義在底層的語義層面上具有相通之處，即新舊義之間具有相似或相聯繫的地方。這種相通，使得詞義的表層具有一定的引申力，因此詞義才可以通過語域的變化而產生新義。新義在內涵與外延上相對原義會產生變化，表現爲詞義擴大，詞義縮小，以及詞義轉移。

（1）詞義的擴大

詞義的擴大，是指新增義項在內涵上沒有什麼變化，但是指稱的範圍比固有義項大，即詞義縮小了內部特徵，擴大了應用範圍。這種類型的新增義項共計 27 條，其中釋義中標明是泛指義的有 11 條，未標明泛指義但詞義擴大的有 16 條。如：

【京派】

舊版：京劇的一個流派，以北京的流派爲代表。（P663）

新版：增補②泛指北京的風格和特色。（P716）

【踩點】

舊版：踩道。（P117）

新版：增補②泛指事先到某一地點瞭解情況。（P126）

【大姨】

舊版：最大的姨母。（P238）

新版：增補②尊稱跟母親同輩而年紀相仿的婦女。（P258）

“京派”與“踩點”的新增義項均有“泛指”字樣標明詞義在外延上的擴大。“大姨”的新增義項雖然沒有“泛指”字樣標明，但是，新增義項所指稱的人也包括了固有義項所指稱的人。

（2）詞義的縮小

詞義的縮小，是指新增義項在內涵上沒有什麼變化，但是指稱的範圍比固有義項小，即詞義由一般意義轉變爲特殊意義。這種類型的新增義項共計 24 條，其中釋義中標明是特指義的有 7 條，未標明特指義但詞義縮小的有 17 條。如：

【人物】

舊版：①在某方面有代表性或具有突出特點的人。（P1064）

新版：增補②特指重要人物。（P1148）

【過失】

舊版：因疏忽而犯的錯誤。（P487）

新版：增補②刑法上指應預見而沒有預見而發生的危害社會的結果；民法上指應注意卻沒有注意而造成的損害他人的結果。（P527）

【人文】

舊版：指人類社會的各種文化想像。（P1064）

新版：增補②指強調以人爲主體，尊重人的價值，關心人的利益的思想觀念。（P1147）

“人物”的新增義項有“特指”字樣標明詞義在外延上的縮小。“過失”的新增義項限定了“過失”在刑法和民法上的意義，詞義的外延縮小。“人文”的新增義項所指的“思想觀念”只是固有義項所指“各種文化想像”的一種，所以詞義也縮小了。

（3）**詞義的轉移**

詞義的轉移即新增義項與固有義項相比，在內涵上發上了變化，即新增的意義脫離了原義的範圍而轉入另一詞義的範圍。這種新增義項數量最多，共計 244 條，情況也最爲複雜。一般來說，詞義轉移中最爲典型的是比喻義，但是，據我們統計，詞義的轉移不僅包括比喻義項的增加，也包括其他義項的增加，其他義項的增加共計 194 條，比喻義只增及 50 條，這 50 條比喻義不涉及詞性的變化，即還有一小部分的比喻義的增加我們歸入功能義項討論。

a. 比喻義的增加

比喻義的增加涉及 50 條義項，分爲固定比喻義的增加和臨時比喻義的增加。

◆　固定比喻義的增加

固定比喻義是指義項釋義的開頭有“比喻”的字樣，此類比喻義的增加共涉及共計 40 條，其中固有義項中沒有比喻義，新版增加比喻義的有 37 條，固有義項中已含比喻義，新版再增加比喻義的有 3 條。如：

【打造】

舊版：製造（多指金屬器物）。（P229）

新版：增補②比喻創造或造就。（P247）

【高峰】

舊版：①高的山峰。②比喻事物發展的最高點。（P416）

新版：增補③比喻領導人員中的最高層。（P451）

“打造”原爲表示具體的動作行爲，通過相似聯想，而產生了新的比喻義項表示抽象的行爲。“高峰”一詞中的固有義項中本就有比喻義，新增加的比喻義還是由固有義項①派生而來。

◆　臨時比喻義發展爲固定比喻義

臨時比喻義即發展還不成熟，還沒有穩定下來的比喻義。臨時比喻義通常以“◇”爲標記出現在詞語釋義的用例中。舊版一些臨時比喻義發展爲固定比喻義的共計 10 條。如：

【前沿】

舊版：防禦陣地最前面的陣地：～陣地◇～科學。（P1012）

新版：增補②比喻科學研究中最新或領先的領域。（P1089）

【錯位】

舊版：離開原來或應有的位置：骨關節～◇名和利使他心中的榮辱觀、羞恥感發生了～。（P221）

新版：增補②比喻失去正常或應有的位置：名和利使他的榮辱觀發生了變化。（P239）

隨著詞義的不斷發展，“前沿”和“錯位”的臨時比喻義漸漸穩定下來，不再僅以用例的形式出現在詞典中，而是以固定比喻義形式出現。

b. 其他表示詞義轉移的義項的增加

詞義表層的引申力加上詞義本身所具有的模糊性，使得詞語從原來的領域被應用到其他領域並被賦予了新的意義。這些新的意義並不是比喻義，但是它們也是詞義轉移的一部分，此類義項的增加共計 194 條，大大超過了比喻義項增加的數目。詞義的轉移發生在當代生活的各個領域和方面，我們從固有義與新增義所在語域的差別，將新版增加的 194 條義項，分爲以下幾種情況：

◆ 詞義由日常生活領域轉移到各種專業領域

一些原來使用在人們普通的日常生活領域中的詞語被移用到某些特定的專業行業中去，詞義由日常生活領域轉移到各種專業領域，比如詞義由指稱日常生活中的內容轉指爲電腦、醫藥、通信等領域的內容，此類新增義項，共計 32 條。如：

【訪問】

舊版：有目的地方去探望人並跟他談話。（P357）

新版：增補②指進入電腦網路，在網站上流覽資訊、查詢資料。（P388）

【雜訊】

舊版：在一定環境中不應有而由的聲音。泛指吵雜、刺耳的

聲音。（P1573）

新版：增補②電路或通信系統中除有用信號以外所有干擾的總稱。（P1702）

“訪問”原是日常生活中表示探望某人與某人談話的意思，隨著時代的發展，電腦網路的應用與普及，“訪問”在電腦領域被賦予了新的意義。“雜訊”一般表示吵雜、刺耳的聲音，但是在電路或通信系統中，詞義轉指為所有的干擾。

◆　詞義由各種專門領域轉移到日常生活領域

原來使用的某些專門行業或領域的詞語被用於日常生活領域裏，詞義發生了一定程度的變化，如詞義由指稱戲劇、體育等方面的內容轉移到指稱日常生活領域的具體或抽象的內容。此類新增義項，共計 24 條。如：

【叫板】

舊版：戲曲中把道白的最後一句節奏化，以便引入到下面的唱腔上去。用動作規定下面唱段的節奏也叫叫板。（P637）

新版：增補②向對方挑戰或挑釁。（P688）

【作秀】

舊版：①表演；演出。②指為了銷售、競選等而進行展覽、宣傳等活動。（P1731）

新版：增補③弄虛作假，裝樣子騙人。（P1827）

“叫板”的固有義項只能運用於“戲曲”領域，但是新增義項卻能運用於日常生活領域。“作秀”的兩個固有義項只運用於“表演”或“商業”領域，而新增義項卻表示日常生活中的人的行為，並且“作秀”的色彩義也發生了變化，固有義項為中性詞，新增義項則帶有貶義的色彩。

◆ 不同專業領域不同行業之間詞義的轉移

原使用在某個特定專門領域的詞語，用於另一個特定的領域之中，詞義發生轉移，如詞義原指稱動物轉爲指稱植物，詞義原指稱金融行業的事物轉指爲商業部門的事物等。此類新義項的增加，共計 44 條。如：

【吸盤】

舊版：①某些動物用來把身體附著在其他物體上的器官，形狀像圓盤，中間凹。烏賊、水蛭都有這樣的器官。（P1343）

新版：增補②某些藤本植物捲鬚頂端器吸附作用的器官。（P1453）

【透析】

舊版：滲析。（P1273）

新版：增補②醫學上指滲析技術把液體的毒素和代謝產物排出體外。（P1377）

“吸盤”固有義項表示動物的器官，而新增義項轉爲表示植物的器官。“透析”原在物理化學領域運用，新增義項轉爲指稱醫學領域的技術。

◆ 日常生活中不同領域的詞義的轉移

原使用在日常生活中某領域的詞語，用於日常生活中的另一領域後，詞義發生轉移，共涉及 83 條義項，包括日常生活中表示某一方面的意義的詞語轉指爲其他方面的意義，還包括日常生活中表示具體事物的詞語意義轉指爲抽象的意義，以及一般語文性詞語意義的轉移，同時詞義的轉移也會伴隨著語用意義的轉移。此類新義項的增加計 83 條。如：

【清高】

舊版：①指人品純潔高尚，不同流合污。（P1033）

新版：增補②指人孤傲，不合群。（P1113）

【斷檔】

舊版：指某種商品脫銷。（P315）

新版：增補②指某一方面或某一年齡段的人嚴重缺乏。（P341）

【走】

舊版：①人或鳥獸的腳交互向前移動。（P1675）

新版：增補④動詞。趨向；呈現某種趨勢。（P1816）

【回敬】

舊版：回報別人的敬意或饋贈。（P561）

新版：增補②用作反話，表示回擊。（P607）

"清高"爲一般的語文性詞語，其固有義項表示人的品格高尚，新增義項則轉指人的性情孤傲。"斷檔"由表示日常生活中商品、物品的的缺乏，轉指爲人的缺乏。"走"由具體的動作行爲，轉指爲某種趨向。"回敬"原指爲回報別人的意思，新增義項的語用意義發生變化，用作反話表示回擊。

◆　同一領域中詞義的轉移

同一領域的詞義的轉移，指詞義由指稱某事物現象轉爲指稱與該事物現象在同一領域的有密切聯繫的人或事物，共涉及 11 條義項。如：

【草編】

舊版：一種民間手工藝，用玉米苞葉、小麥莖、龍須草、金絲草等編成的提籃、果盒、杯套、帽子、拖鞋、枕席等。（P125）

新版：增補②用這種工藝品製成的產品。（P135）

【舞美】

舊版：舞臺美術。（P1337）

新版：增補②從事舞臺美術工作的人。（P1447）

“草編”的固有義項是指稱草編這種工藝，新增義項轉指爲用這種工藝的製成的產品。“舞美”的固有義項指稱舞臺美術，新增義項轉指爲從事相關工作的人。

此外，還有兩條義項的增加情況比較特殊，在此作說明，如：

【玉簪】

舊版：用玉做成的簪子，也叫玉搔頭。（P1541）

新版：增補：②多年生草本植物，葉子大，有長柄，葉片卵形或心臟形，總狀花序，花潔白如玉，未開時如簪頭，有芳香，蒴果長形。供觀賞。③這種植物的花。（P1667）

新版在每個條目下增加義項，多數情況下只增加一條義項，少部分條目也增加兩條義項，增加兩條義項的情況我們會根據它們與固有義項的聯繫分析，但是有些義項並不是由固有義項派生而來的，而是有新增義項派生而來的。據我們分析，新版增加兩個義項的條目中，只有“玉簪”屬於這種情況。“玉簪”，由於形貌上的相似，固有義項轉指爲新增義項②，表示植物。但是新增義項③顯然是表示新增義項②的一部分，是新增義項派生而來的。我們將這兩條義項已經歸入上述類別計量。

因語義延伸而增加的義項，計量統計結果見表 2.1。[11]

11 表 2.1 中“2”表示章節，“1”表示 表格所在章節的序列。論文中的所有表格我們都採用這樣的標注。

表 2.1

類　　別	縮　　小	擴　　大	轉　　移
義項數（條）	24	27	244
百分比 %	8.14	9.15	82.71
例　　詞	京派、大姨	人物、大麻	回敬、斷檔

因語義延伸而產生的義項共計 295 條。詞義縮小的義項最少，共計 24 條，占此類增加義項總量的 8.14%；詞義擴大的義項也很少，共計 27 條義項，占 9.15%；詞義轉移的義項最多，共計 244 條義項，占 82.71%。

語義延伸中詞義轉移的情況比較複雜，其中共增加 50 條比喻義項，但是詞義轉移的主體，是除比喻義以外的義項的增加，共計 194 條。我們分析了這 194 條增義項與固有義項的關係，得出以下結論：日常生活中不同領域的詞義的轉移的情況最多，占 42.97%；不同專業領域不同行業之間詞義的轉移的情況居其次，占 22.68%；詞義由日常生活領域轉移到各種專業領域的情況居第三，占 16.49%；詞義由各種專門領域的轉移到日常生活領域的情況居第四，占 12.37%；剩餘的是同一領域中詞義的轉移，占 5.67%，具體計量結果見表 2.2。

表 2.2

詞義轉移	生活領域 — 專業領域	專業領域 — 生活領域	各專業領域 之間	生活領域 之間	同一領域 同一方面
義項數（條）	32	24	44	83	11
百分比 %	16.49	12.37	22.68	42.79	5.67
例　　詞	訪問、雜訊	叫板、紅牌	吸盤、存單	變味、走	草編、舞美

2.因詞性（語法功能）變化而增加的義項

有一部分詞義項的增加並不是語義自身延伸的結果，而是由詞性（或語法功能）變化形成的，叫做“功能義”。功能義的產生，也不僅僅是語法功能變化的結果，語法功能變化的同時常常也會伴隨有語義的變化。蘇寶榮先生認爲："詞的功能義包含在詞的'語法組合'的全部過程之中，體現在諸多層面之上：一是詞的詞性層面，即詞性的變化（或兼類）對詞義的影響；二是詞的句法功能層面，即詞充當句法成分的改變對詞義的影響；三是詞的組合搭配層面，即詞的搭配關係對詞義的影響。"[12]我們這裏所指功能義項的增加，多涉及第一個層面即詞性變化對詞義的影響。

新版共增加功能義項 180 條，占實詞義項增加總量的 25.83%。下面具體分析各類詞語功能義項的發展情況。

（1）**名詞的功能義項類型及其聯繫**

據統計新版與舊版相比，名詞中共增加功能義項 49 條，占所增功能義項總量 27.22%，共有以下三種情況：

a. 名 — 動

在名詞所派生的功能義項中，動詞義項共計 20 條。一般說來，名詞詞義中含有動態特徵義，這個名詞才可能成爲"名—動"兼類詞。從義項之間的意義聯繫分析，主要有以下兩種情形：

◆ 從人物或事物現象到相關的動作行爲或動態表現（14 條）

【主筆】

舊版：指報刊編輯部中負責撰寫評論的人，也指編輯部的負責人。（P1641）

新版：增補②主持撰寫。（P1778）

【手術】

舊版：醫生用醫療器械在病人身體上進行的切除、縫合等治

12 蘇寶榮：《詞的功能義的層次分析》[J].語文研究 2006，01

療。（P1162）

新版：增補②進行手術。（P1255）

【警覺】

舊版：對危險或情況變化的敏銳感覺。（P670）

新版：增補：②敏銳地感覺到。（P724）

“主筆”的固有義項表示人，新增義項是表示和這種人相關的行爲。“手術”的固有義項是表示一種治療手段，新增義項則是表示與“手術”這種治療相關的動作行爲。“警覺”的固有義項表示人的感覺，新增義項則表示這種感覺的動態表現。

◆ 從工具、方式到相關動作行爲（6 條）

【耱】

舊版：耢①。（P900）

新版：增補②用耱平整土地。（P967）

【速遞】

舊版：特快專遞。（P719）

新版：增補②用速遞的方式遞送。（P1302）

“耱”的固有義項表示一種農具，新增義項表示的是是用這種農具的動作行爲。“速遞”的固有義項是一種遞送方式，新增義項表示的是用這種方式的動作行爲。

b. 名 — 形

在名詞所派生的功能義項中，形容詞義項共計 24 條。一般說來，名詞詞義中含有描述性語義特徵，這個名詞才可能成爲“名—形”兼類詞。義項之間的意義聯繫分析，主要有以下兩種情形：

◆ 從事物現象 — 事物現象表現出來的性狀特徵（20 條）—

【賣座】

舊版：（～兒）指戲院、飯館、茶館等顧客上座的情況。（P848）

新版：增補②上座的情況好。（P913）

【陽光】

舊版：日光。（P1456）

新版：增補②屬性詞：積極開朗、充滿青春活力的。③（事物、現象等）公開透明。（P1576）

【夕陽】

舊版：傍晚的太陽。（P1341）

新版：增補②屬性詞。比喻傳統的，因缺乏競爭力而日漸衰落、沒有發展前途的。（P1451）

“賣座”指的是一種上座的情況，新增義項則表示這種情況表現出來的具體的性質特徵。“陽光”名詞義項含有明亮的意思，新增的兩個義項是從名詞義項中抽象出來的性質特徵。“夕陽”的新增義項則是固有義項通過比喻而表現出來的性質特徵。

◆ 從事物現象 — 符合事物現象某種標準的特徵（4 條）

【道德】

舊版：社會意識形態之一，是人們共同生活及其行爲的準則和規範。道德通過社會或一定階級的輿論對社會生活起約束作用。（P259）

新版：增補②合乎道德的（多用於否定式）。（P281）

【時尚】

舊版：當時的風尚。（P1144）

新版：增補②合於時尚。（P1236）

“道德”的固有義項表示一種社會意識形態，新增義項則表示符合這種意識形態的特徵。“時尚”的固有義項表示當時的風尙，新增義項則表示符合這種風尙的特徵。

c. 名 — 量

在名詞所派生的功能義項中，量詞義項共計 5 條，其中有 4 條是表示時間的量詞，有一條是表示類別的量詞。如：

【天】

舊版：③一晝夜二十四小時的時間，有時專指白天。（P1242）

新版：增補④用於計算天數。（P1344）

【類】

舊版：許多相似或相同事物的綜合；種類。（P766）

新版：增補②用於性質或特徵相同或相似的事物。（P827）

名詞義項所產生的功能義項類型如表 2.3。

表 2.3

功能義類型	名 — 動	名 — 形	名 — 量
義項數（條）	20	24	5
百分比 %	40.82	48.98	10.20
例　　詞	手術、警覺	陽光、理智	年、類

（2）動詞的功能義項類型及其聯繫

據統計新版與舊版相比，動詞中共增加了功能義項 88 條，占所增功能義項總量的 48.89%，共有以下三種情況：

a. 動 — 名

由動詞所派生的功能義項中，名詞義項占絕對優勢，共計 64 條。原動詞義項與新增義項之間意義聯繫也十分豐富，共有以下幾種情況：

從動作行爲到動作行爲所涉及的人即動作行爲的實施和與事（11 條）

【導購】

舊版：對購買貨物給予引導；指導購買（商品）。（P254）

新版：增補①介紹商品，引導顧客購物。②擔任導購工作的人。（P276）

【同輩】

舊版：輩分相同。（P1263）

新版：①同屬一個輩分。②同一輩分的人。（P1366）

“導購”的固有義項表示一種行爲，新增義項是這種行爲的施事。從動作行爲發展爲指稱行爲的施事比較多，所增加的 10 條義項中，有 9 條是表示施事物件。“同輩”所增加的義項則表示這個動詞的與事物件。

◆ 從行爲活動到行爲活動的方式或工具（7 條）

【賽馬】

舊版：運動專案的一種，比賽騎馬的速度。（P1085）

新版：增補②比賽用的馬。（P1170）

【速記】

舊版：用一種簡便的計音符號迅速地把話記錄下來。（P1205）

新版：增補②速記的方法。（P1302）

“賽馬”固有義項表示一種運動，即比賽騎馬速度，新增義項則表示這種運動所要用到的“馬”。“速記”的固有義項表示人具體的行爲，新增義項則表示這種行爲所用的方式。

◆ 從人的活動或事物的動態表現到行爲活動的結果、受事物件以及事物的靜態表現（45 條）

【徵文】

舊版：報章雜誌爲某一主題而公開徵集詩文稿件。（P1602）

新版：增補②在上述活動中徵集到的詩文稿件：～選登。

（P1735）

【挖方】

舊版：土木工程程式施工時開挖土石塊。（P1290）

新版：增補②土木工程程式施工時開挖的土石方。（P1395）

【比賽】

舊版：在體育、生產等活動中，比較本領、技術的高低。（P66）

新版：增補②指這種活動。（P70）

【分歧】

舊版：（思想、意見、記載等）不一致；有差別。（P369）

新版：增補②思想、意見、記載等不一致的地方。（P400）

“徵文”的新增義項表示“徵文”這種行爲的結果，即“徵集到的詩文稿件”。“挖方”所增加的義項表示“挖方”這一行爲的受事對象，即“土石方”。“比賽”的新增義項表示“比賽”這種行爲的靜態表現。“分歧”固有義項並不表示動作行爲，是表示“不一致；有差別”即事物的動態的表現，新增義項則是這種動態表現的靜態形式即“不一致的地方”。

此外，還有 1 功能義的增加，不僅涉及了動作行爲的施動者，也涉及了動作行爲的受事物件，如：

【小廣播】

舊版：私下傳播不應該傳播或不可靠的消息。（P1384）

新版：增補②指私下傳播的不可靠的消息，也指私下傳播不可靠消息的人。（P1497）

b. 動 — 形

在動詞所派生的功能義項中，形容詞義項共計 18 條。“動詞”、“形容詞”都是謂詞，它們在語法功能上有許多相通之處，這種兼類在漢語中是比較常見。固有義項與新增義項之間意義聯繫主要是行爲活動發展爲行爲活動表現出來的某種具體的或抽象的性狀特徵。如：

【逗 1】

舊版：③逗笑兒：這話真～/她是一個愛說愛～的姑娘。（P307）

新版：增補④有趣；可愛：這話真～。（P333）

【當家】

舊版：主持家務。（P249）

新版：增補②主要的；最拿手的：～菜。（P271）

"逗"的固有義項③"逗笑兒"中包含"有趣、可愛"的特徵，並且"逗"作爲形容詞的功能義在舊版的用例中也已經體現如"這話真逗"，當"逗"作爲形容詞的功能義穩定下來之後，新版將其立爲義項。"當家"的固有義項爲具體的動作行爲，新增義項表示這種動作行爲抽象出來的性質特徵。

c. 動 — 動

在動詞所派生的功能義項中，動詞義項共計 6 條，即自動動詞轉化爲使動動詞，及物動詞轉爲不及物動詞兩類。如：

◆ 自動 — 使動（4 條）

【減弱】

舊版：（氣勢、力量等）變弱。（P617）

新版：增補②使變弱。（P666）

"減弱"的固有義項不能帶賓語，而新增義項爲使動動詞，可以帶賓語。

◆ 及物 — 不及物（2 條）

【貫穿】

舊版：從頭到尾穿過一個或一系列的事物：這部小說的各篇各章都～著一個基本主題。（P467）

新版：增補②連貫：這篇文章前後的意思～不起來。（P506）

“貫穿”的固有義項能夠帶賓語，是及物動詞，而新增義項②只表示連貫，不能帶賓語，是不及物動詞。

動詞義項所產生的功能義項類型如下表 2.4。

表 2.4

功能義類型	動 — 名	動 — 形	動 — 動	
			使動	不及物
義項數（條）	64	18	4	2
百分比 %	72.73	20.45	6.82	
例　　詞	同輩、比賽	成功、失落	減弱、核實	

（3）形容詞的功能義項類型及其聯繫

據統計新版與舊版相比，據統計新版與舊版相比，形容詞中共增加了功能義項 17 條，占所增功能義項總量的 9.44%，共有以下三種情況：

a. 形 — 名

在形容詞所派生的功能義項中，名詞義項共計 10 條，原義與新義的意義聯繫主要有以下幾種情況：

- 從性質狀態 — 具有或能表現該性質狀態的事物或人的心理情緒（7 條）

【精粹】

舊版：精練純粹。（P667）

新版：增補②（事物）精美純粹的部分。（P720）

【怨憤】

舊版：怨恨憤怒。（P1553）

新版：增補②指怨憤的情緒。（P1680）

“精粹”的固有義項表示一種性質，新增義項是具有這種性質的事物。“怨憤”的固有義項表示的是一種心理的狀態，新增義項是能表現這種狀態所表現出來的心理情緒。

◆ 從性質狀態 — 具有該性質狀態的人（2 條）

【助理】

舊版：協助主要負責人辦事的（多用於職位名稱）。（P1644）

新版：增補②指協助主要負責人辦事的人。（P1782）

此外，還有 1 功能義的增加，涉及了具有某性質狀態的人和事物。如：

【後備】

舊版：爲補充而準備的（人員、物資等）。（P525）

新版：增補②指爲補充而事先準備好的人員、物資。（P569）

b. 形 — 動

在形容詞所派生的功能義項中，動詞義項只有 7 條，原義與新義的意義聯繫主要有以下兩種情況：

◆ 從性質狀態 — 使動意義（4 條）

【激奮】

舊版：激動振奮。（P587）

新版：增補②使激動振奮。（P634）

“激奮”的固有義項表示激動振奮的狀態，新增的義項則表示使人具有這種狀態的行爲活動。

◆ 從性質狀態 — 具有或表現該性質狀態的行爲（3 條）

【親熱】

舊版：親密而熱情。（P1025）

新版：增補②表示親密和喜愛。（P1105）

“親熱”的固有義項表示親密而熱情，新增義項則是表現親密熱情的一種行爲。

形容詞義項所產生的功能義項類型如下表 2.5

表 2.5

功能義類型	形 — 名	形 — 動	
		使動	自動
義項數（條）	10	4	3
百分比 %	58.82	41.18	
例　　詞	同輩、比賽	減弱、核實	

（4）兼類詞的功能義項類型

兼類詞都是多義詞，本身比較複雜。我們主要通過比較新增義項與幾個固有義項之間聯繫的緊密程度，來判別新增義項由哪一個固有義項派生而來。兼類詞中功能義項共增加 21 條，占所增功能義項的 11.67%。

a. 由名詞性義項派生而來的功能義

兼類詞多個義項中由名詞義項派生而來的功能義，共計 10 條，占所增加功能義項總量的 12.22%。名詞義項派生出動詞義項的有 5 條，名詞義項派生出形容詞義項的 2 條，名詞派生出量詞的 3 條。如：

【根據】

舊版：①介詞，把某種事物作爲結論的前提或語言行動的基礎。②名詞，作爲根據的事物。（P428）

新版：增補：③動詞，以某種事物爲依據。（P465）

【極端】

舊版：①名詞，事物順著某個發展方向達到的頂點。②形容

詞，達到極點的。（P589）

新版：增補：③形容詞，絕對；偏激。（P636）

【垛】

舊版：①動詞，整齊地堆。②名詞，整齊地堆成的堆。（P325）

新版：增補③量詞，用於成垛的東西。（P353）

“根據”的新增義項與其固有名詞義項的聯繫較爲密切，所以我們認爲“根據”的動詞義項是從其名詞義項發展而來的功能義。“極端”的形容詞義項也是從其名詞義項中抽象出來的性質特徵。“垛”的量詞義項顯然是從名詞義項派生而來的。

b. 由動詞性義項派生出來的功能義

兼類詞多個義項中由動詞義項派生而來的功能義，共計 7 條，動詞義項派生出名詞義項的有 2 條，動詞義項派生出使動義項的有 1 條，動詞義項派生出形容詞義項的 4 條。如：

【指令】

舊版：①動詞，指示；命令。②名詞，舊時公文的一類，上級機關因下級機關呈請而有所指示時稱爲指令（P1619）

新版：增補②名詞，上級給下級的指示或命令。③名詞，電腦系統中用來用來指定某種運算或要求實現某種控制的代碼。（P1753）

【警醒】

舊版：①形容詞，睡眠時易醒，睡不熟。②動詞，警戒醒悟。（P670）

新版：增補③動詞，使警戒醒悟。（P725）

【隱秘】

舊版：①動詞，隱蔽不外露②名詞，秘密的事。（P1505）

新版：增補②形容詞。隱蔽的；秘密的。（P1629）

“指令”的動詞義項派生出兩個明名詞義項，新增的名詞義項②表示日常生活中的一般詞語意義，而義項④則是表示電腦領域的新意義。“警醒”原爲形容詞和動詞的兼類，而新版增補的表示“使動”的義項與其動詞義項的聯繫較爲緊密。“隱秘”原爲動詞和名詞的兼類，動詞和形容詞都是謂詞，我們認爲新增的形容詞義項是由動詞義項發展而來。

c. 由形容詞性義項轉化而來的功能義

兼類詞多個義項中由形容詞義項派生而來的功能義，共計 4 條，形容詞義項派生出動詞義項的有 1 條，形容詞義項派生出使動義項的 3 條。如：

【平定】

舊版：①動詞，平穩安定②形容詞，平息（叛亂等事情）。（P977）

新版：增補②動詞，使平穩安定。（P1051）

【平】

舊版：①形容詞，表明沒有高低凹凸，不傾斜。②動詞，使平。③形容詞，兩相比較沒有高低、先後；不相上下。（P977）

新版：增補④動詞，達到相同的高度。（P1050）

“平定”的新增“使動”義項與其固有義項①關係密切，所以它是也是由動詞發展而來的。“平”義項眾多，我們認爲新增義項④是由固有形容詞義項③派生而來。

（5）**副詞 — 名詞/動詞**

副詞義項的界定爲實詞還是虛詞，學界還有爭議[13]。我們這裏把它視爲虛詞。副詞義項轉化爲實詞義項，共涉及 5 條義項，占所增功能義項總量的 2.78%。一類是副詞義項發展爲名詞義項，共計 3 條，一類是副詞義項發展爲動詞義項，共計 2 條。

a. 副詞 — 名詞

【故意】

舊版：有意識地（那樣做）。（P455）

新版：增補②法律上指行爲人明知自己行爲會造成侵害他人或危害社會的後果，而仍然希望或放任結果發生的心理。（P493）

【沿街】

舊版：順著街道。（P1447）

新版：增補②指街道兩旁。（P1566）

“故意”固有義項爲副詞表示“有意識地”，新版新增義項是由固有義項的語法功能變化而來，在法律上表示一種心理。“沿街”原是副詞，表示“順著街道”，新版增加名詞義項，表示沿著街道的地方即街道兩旁。

b. 副詞 — 動詞（1 條）

【交互】

舊版：①互相。②替換著。（P629）

新版：增補③相互聯繫交流。（P680）

---

13 黎錦熙（1956）、呂淑湘（1952）、朱德熙（1952，1982）、張斌（2000）等認爲應歸於虛詞，劃分依據爲語法功能，有無具體詞彙意義；陳望道（1958）、胡裕樹（1962）、黃伯榮（1980）、郭瑞（2002）等認爲是實詞，依據是副詞可充當句子成分。王力（1954）、蔣紹愚（1979）認爲是“介於虛實之間。我們將副詞暫歸入虛詞一類，便於統計。

“交互”固有的兩個義項均爲副詞，表示“相互”或“替換”的意思，新版增加的動詞義項是由副詞發展而來，在語義上與固有義項也有一定聯繫。

功能義項增加的計量統計總體結果見表 2.6。

表 2.6

功能類型義	名詞產生的功能義	動詞產生的功能義	形容詞產生的功能義	兼類詞產生的功能義	副詞產生的功能義
義項數（條）	49	88	17	21	5
	名 — 動 20 名 — 形 24 名 — 量 5	動 — 名 64 動 — 形 18 動 — 使動 4 及物 — 不及物 2	形 — 名 10 形 — 動 3 形 — 使動 4	名 — 動 5 名 — 形 2 名 — 量 3 動 — 名 2 動 — 使動 1 動 — 形 4 形 — 使動 3 形 — 動 1	副 — 名 4 副 — 動 1
百分比 %	27.22	48.89	9.44	11.67	2.78

詞性（語法功能）的變化對義項的增加起著很大的作用，如前文所述，功能義項的增加共涉及 180 條義項，占實詞義項增加總量的 25.83%。其中，動詞派生的功能義項占絕對優勢，占所增功能義項總量的 48.89%，其中又以動詞義項轉化爲名詞義項最多，動詞義項與名詞義項之間的聯繫也最爲豐富；名詞派生的功能義數量居其次，占所增功能義項總量的 27.22%，主要是向形容詞義項發展和動詞義項發展；形容詞產生的功能義較少，只占所增功能義項總量的 9.44%，主要是向名詞義項發展，動詞義項較少；兼類詞產生的功能義項占 11.67%，主要是向動詞發展；副詞向名詞、動詞發展的情況雖然最少，只占 2.78%，但是應該引起我們的重視。

3.汲取不同語素義而增加的義項

我們知道詞義內容的凝固性和整體性是合成詞形成的主要特點，合成詞的意義不是組成它的語素意義的簡單相加。因此，合成詞義形成以後，是作爲一個整體來發展的。也就是說，合成詞的詞義無論發生擴大、縮小、轉移一般不會影響到構成它的詞素義的變化。但是也有些合成詞語素之間的聯繫並不十分緊密，詞義的變化主要不是由合成詞作爲整體的語義的延伸，也不是由於語法功能的不同造成的。正如曹煒先生所言，新的詞義是同固有義一樣來自於不同的語素義及不同的語素組合中。語素義的多樣性和語素義組合結構的多樣性，都會使詞義呈現多樣性的特點，這種現象也說明了“詞義項增加的多源性和複雜性”[14]。新版因汲取不同語素義而增加的義項，共有 58 條，占實詞義項增加總量的 8.32%，分爲以下兩種情況：

（1）語素義的不同促使詞義項的增加

語素義的不同促使詞義項的增加是指，與固有義項相比，新增義項語素組合的結構不變，僅是汲取的語素意義不同。此類義項的增加共計 50 條。如：

【變性】

舊版：①物體的性質發生改變。②機體的細胞因新陳代謝障礙而在結構和性質上發生個改變。（P78）

新版：增補③改變性別。（P84）

【待機】

舊版：等待時機。（P242）

14 曹煒：《現代漢語詞義學》，第 162 頁，學林出版社，2001。

新版：增補②（手機等）處於等待工作的狀態。（P262）

“變性”的“性”在固有義項中表示“性質”或“結構”，而在新增義項中卻表示“性別”語素義顯然不一樣。“待機”中的“機”在固有義項中表示“時機”，但是在新增義項中卻表示“手機”、“電腦”等，語素義也有很大差別。

（2）語素義之間結構的不同促使詞義項的增加

語素義之間結構的不同促使詞義項的增加是指，與固有義項相比，新增義項語素組合的結構已經發生變化，同時汲取的語素義也不相同。因語素義之間結構的不同而增加的義項比較少，只有 8 條義項。如：

【探頭】

舊版：向前伸出頭。（P1226）

新版：增補②指監測、探測儀器等最前的部件。（P1325）

【延聘】

舊版：①〈書〉聘請。（P1444）

新版：增補：②延長聘用期；繼續聘用。（P1564）

“探頭”的固有義項語素組合的結構爲動賓結構，新增義項的語素組合結構爲偏正結構，並且兩義項的語素義汲取也完全不一樣。“延聘”固有義項爲書面語詞，其中“延”爲“聘請”的意思，“聘”也爲聘請的意思，兩語素組合爲聯合結構。“延聘”的新增義項則不一樣，“延”爲延長的意思，我們認爲此時“延聘”爲動賓結構。所以兩義項的語素組合結構不一樣。

4.外來詞義項的再吸收

這裏外來詞，我們只涉及音譯外來詞。外來詞在漢語境內的發展有兩種情況，一種是外來詞在漢語的影響下有了新的意義，一種是漢語在已經吸收外來詞意義的基礎上，再對其他意義進行充分的借用、吸收。新版增補的外來詞義項，主要是第二種。新版通過補充這些常用的外來詞義項，而使得外來詞意義更加準確、全面，也更加符合它們在漢語環境中實際運用的情況。這部分義項的增加很少，只有 5 條，占實詞義項增加總量的 0.72%。如：

【馬賽克】

舊版：①一種小型瓷磚、方形或六角形，有各種顏色，可以砌成花紋或圖案，多用來鋪室內地面②用馬賽克做成的圖案。[英 mosaic]（P844）

新版：增補③電視、電腦、手機等螢幕圖像中出現的馬賽克的圖像，有時是故意加上去的，用來遮蓋某些畫面。[英 mosaic]（P909）

【拷貝】

舊版：用拍攝成的電影底片洗印出來供放映用的膠片。也叫正片。（P708）

新版：增補②複製（音像製品、電腦檔等）③複製出來的音像製品和電腦檔。英[copy]（P767）

“馬賽克”固有義項表示一種瓷磚，以及用這種瓷磚做成的圖案，新增義項實際是外來詞本身在語義上的延伸。“拷貝”原指一種膠片，新版再吸收“拷貝”在當下很常用的動詞義項和名詞義項。

5.其他情況

詞典中義項的設立、吸納十分複雜，不僅要考慮到詞彙的發展，也要考慮到字典自身的規模、格式等等，有些新版增加的義項，並不能直接反映詞義項之間的關係，有些增加的詞義項並不在共時範圍之內，還有些增加的詞義項雖在共時範圍之內，但是義項排列在第一位，並不能有效地反映詞義的發展情況。所以我們將這些增加的義項列爲其他情況處理，共涉及 159 條，占實詞義項增加總量的 22.81%，具體情況如下：

（1）以“簡稱”、“俗稱”以及其他別稱形式出現的副條義項

新版增加了部分以副條形式表示某些詞語的其他名稱的義項。這些義項與固有義項的聯繫並不是十分緊密，它們主要是表示另一些詞語的簡稱、俗稱以及其他別稱，共涉及 18 條，其中表示簡稱的有 2 條，表示俗稱的有 3 條，表示“也叫××”、“有的地區叫××”類別稱的有 4 條，還有其他一些未注明關係的別稱 9 條。

a. 表示“簡稱”的義項（2 條）

【突】

舊版：①猛衝。②突然。③高於周圍。④古代灶旁突起的出煙火口，相當於現在的煙筒。（P1274）

新版：增補⑤突起③的簡稱。（P1378）

【電眼】

舊版：①在某些自動控制設備中指光電管。②無線電裝置中指示調諧程度的電子管。（P285）

新版：電子眼的簡稱。（P309）

“電眼”一詞新增義項較爲特殊，新版是將其比較冷僻的兩個固有義項全部刪除，然後再增加新的常用義項。“電眼”固有義項刪減的情況，我們將其放在本章“第二節”討論。

b. 表示“俗稱”的義項（3 條）

【四不像】

舊版：①麋鹿②比喻不論不類的東西或情況。（P1196）

新版：增補②馴鹿的俗稱。（P1293）

c. 表示“也叫xx”“有的地區叫xx”類別稱的義項（4 條）

【怒潮】

舊版：洶湧澎湃的浪潮，比喻聲勢浩大的反抗運動。（P937）

新版：增補②湧潮。（P1007）

【烘籠】

舊版：竹片、柳條或荆條等編成的籠子，罩在爐子或火盆上，用來烘乾衣物。（P520）

新版：②增補〈方〉烘籃。（P563）

“怒朝”的新增義項只是“湧潮”的副條義項，是“湧潮”的別稱，它與固有義項的聯繫不大。“烘籠”的新增義項只是部分地區對“烘籃”的別稱，與其固有義項聯繫也不是十分緊密。

d. 其他一些未注明關係的別稱義項（9 條）

【健美】

舊版：①健康而優美。（P622）

新版：增補②指健美運動。（P672）

【浮漂】

舊版：（工作、學習）等不踏實、不認真。（P388）

新版：增補②（～兒）魚漂。（P420）

我們認爲“健美”的新增義項②其實就是“健美運動”的縮略，它與固有義項的聯繫較弱。“浮漂”的新增義項也表示一種別稱，與固有義項沒有聯繫。

（2）固有義項為非詞語素義項，增加的義項是與之密切聯繫的詞義項

固有義項爲不成詞語素義項，增加的義項爲詞義項，雖然義項之間也有語義、語法上的聯繫，但是由於語法單位不一致，所以我們也將其列入“其他類”討論。此類義項的增加共有 9 條。

【批[2]】

舊版：①大量（買賣貨物）。②用於大宗的貨物或多數的人。（P962）

新版：增補②指批發或批購。（P1034）

【叢】

舊版：①聚集。②生長在一起的草木。③泛指聚集在一起的人或東西。④姓。（P212）

新版：增補④用於聚集生長在一起的草木。（P229）

“批”的新增動詞義項與其固有語素義項①的聯繫密切，是由語素義項發展而來。“叢”的新增量詞義項，與其固有名詞性語素義項②聯繫緊密，是由名詞性語素發展而來的量詞義項。

（3）詞目中標注〈書〉、釋文中標“舊”、“白話”的義項

新版有些增補的義項在詞目中標注〈書〉，釋文中標“舊”、“白話”等，這些新增義項，產生的時間並不在共時階段，所以我們與前面的在共時階段產生的義項分開討論。雖然，這些義項產生的時間久遠，但是由於它們使用場合和區域的廣泛性、使用時間的現代性，仍然能夠活躍於現代漢語普通話層面，所以新版將其補充進來。此類義項共增加 25 條，其中，書面語義項增加最多，共有 21 條，標“舊”的義項有 3 條，標“白話”的義項有 1 條。如：

【步履】〈書〉

舊版：行走。（P111）

新版：增補②指腳步。（P120）

【少爺】

舊版：①舊時僕人稱主人的兒子。②舊時尊稱別人的兒子。（P1113）

新版：增補③舊時稱官僚、地主和有錢人家的男性青少年。（P1201）

【溫存】

舊版：①殷勤撫慰（多指對異性）②溫柔體貼。（P1317）

新版：增補③休息調養（多見於早期白話）。（P1425）

（4）義項排列在第一位的義項

據考察，義項排列在第一位的義項，往往是對詞典系統中漏收的基本義或其他常用義項的補充，不利於體現詞義的發展進程，所以我們另立條目討論。新版補充的此類義項雖然不能夠直接體現詞義發展的進程，但是卻利於我們觀察固有義項與其基本義或其他常用義項之間的關係，更加清晰的呈現詞義發展的脈絡關係。這裏只要義項排列在第一義項，不論是書面語義、還是別稱類的副條等等我們均計入此類討論。此類義項的增加共涉及 107 條，具體情況如下：

a. 增補的義項與固有義項之間是語義延伸的關係（49 條）

【裁定】

舊版：法院在審理案件中，就某個問題做出處理。（P115）

新版：增補①動詞，裁決。（P124）

【脫鉤】

舊版：比喻脫離聯繫。（P1286）

新版：增補①火車車廂之間的掛鈎分離。（P1391）

“裁定”固有義項爲專業領域中的意義，新版增補“裁定”的一般意義。“脫鉤”固有義項爲比喻義，新版增補其本意。

b. 增補的義項與固有義項在語法功能上有變化（50 條）

【奢求】

舊版：過高的要求（P1113）

新版：增補①過高地要求。（P1201）

【速效】

舊版：見效快。（P1205）

新版：增補①很快就取得的成效。（P1302）

【賢哲】

舊版：賢明的人。（P1364）

新版：增補①有才德，有智慧。（P1475）

“奢求”固有名詞義項，是由新增動詞義項發展而來。“速效”固有形容詞義項，是由新增名詞義項發展而來的。“賢者”的固有名詞義項，是由新增形容詞義項發展而來。

c. 新版補充的其他常用義項（8 條）

新版還補充了其他一些常用義項作爲詞語的第一義項，這些義項與固有義項之間的聯繫不是非常緊密。如：

【中班】

舊版：幼稚園裏由四周歲至五周歲的兒童所變成的班級。（P1626）

新版：增補①三班倒工作中排在中間的班次，一般爲下午上班。（P1761）

舊版義項的“中”表示時間，”班“表示“班級”。新版義項的“中”表示時間，“班”表示“班次”。“中班”的固有義項與新版義項在語義聯繫並不明顯。

6.實詞義項增加小結

實詞義項共增加 697 條，是新版義項增加的主體，具體計量統計見表 2.7。

表 2.7

類　　別	語義延伸	詞性變化	語素義汲取	外來詞汲取	其他
義項數（條）	295	180	58	5	159
百分比%	42.32	25.83	8.32	0.72	22.81
例　　詞	紅牌、前沿	速遞、導購	待機、變性	拷貝、摩托	步履、奢求

實詞義項的增加中，因語義延伸而增加的義項最多，共計 295 條，占實詞義項增加總量的 42.32%，其中，因詞義轉移而增加的義項是此類義項增加的主體，共計 244 條。

因詞性（語法功能）不同而增加的義項居第二，共計 180 條，占實詞義項增加總量的 25.83%，其中，動詞派生的功能義項占絕對優勢，名詞派生的功能義項居其次，兼類詞中產生的功能義項居第三，形容詞派生的功能義項居第四，副詞義項派生的功能義項最少。

“其他義項”因爲囊括了書面語義項、舊義項、古義項、副條類義項、排列在第一位義項，這些義項的增加所占比例也較高，共計 159 條，占 22.81%。

因語素義汲取的不同而增加的義項較少，共計 58 條，占 8.32%，此類義項增加數量雖然不多，但是卻在一定程度上證明了詞義項增加的多源性和複雜性。

汲取外來詞意義而增加的義項最少，只有 5 條，占 0.72%。

（二）虛詞義項的增加

虛詞不同於實詞。實詞屬開放性詞類，一般只具有詞彙意義；而虛詞則屬封閉性詞類，主要表示詞語和詞語組合時的種種關係和不同語氣。虛詞的使用往往會影響整個組合的關係或全句語氣，它的使用可謂是牽一髮而動全身。所以，虛詞雖然數量有限制，修訂涉及的義項也較少，但是卻是非常重要的。新版共增加 40 條虛詞義項，占義項增加總數的 4.82%。從詞性分佈上來說，副詞義項最多共計 23 條，連詞義項 7 條，介詞義項 7 條，語氣詞義項 1 條，嘆詞義項 1 條，助詞 1 條。

1.副詞義項的增加

副詞義項的增加共涉及 23 條，其中，由實詞虛化而來的副詞義項共計 12 條；其他常用虛詞義項的增加共計 11 條。

（1）實詞虛化而來的副詞

實詞虛化而來的副詞包括，動詞虛化成副詞、形容詞虛化成副詞、名詞虛化爲副詞三種類，共增加義項 12 條。如：

a. 動詞 — 副詞（6 條）

【不斷】

舊版：連續不間斷。（P103）

新版：增補②副詞，表示連續地。（P111）

“不斷”的固有義項爲動詞，指“連續不間斷”這樣一種動態表現，新增義項爲副詞，表示連續地，我們認爲是由動詞虛化而來。

b. 形容詞 — 副詞（2 條）

【差不多】

舊版：①相差很少；相近②一般；大多數（P133）

新版：增補③副詞，表示接近；幾乎。（P145）

新版增加的義項③與固有義項①聯繫比較密切，我們認爲新增副詞義項①虛化而來的。

c. 名詞 — 副詞（4 條）

【下意識】

舊版：心理學上指不知不覺、沒有意識的心理活動。是有機體對外界刺激的本能反應。唯心主義心理學認爲這種作用是潛伏在意識之下的一種精神實質，能支配人的一切思想。（P1358）

新版：增補②不知不覺地；沒有意識的。（P1470）

"下意識"，固有義項是心理學領域專業術語，而新增副詞義項，表義效果則沒有固有義項明顯，我們認爲它是由固有義項漸漸虛化而來。

（2）其他常用副詞義項的增加

其他常用副詞義項的增加，共計 11 條，包括兼類詞中副詞義項的增加 2 條，如"正"、"將"；副詞中副詞義項的增加 2 條，如"前後腳跟兒"、"多方"；與語素義密切相關的副詞義項的增加 6 條，如："遽"、"微"、"確"、"特"、"窮"、"專"；書面語義項 1 條，如"篤"。

2.連詞義項的增加

連詞義項的增加共涉及 7 條，其中，由實詞虛化而來的連詞只有 1 條；其他常用連詞義項的增加有 6 條。

（1）由實詞虛化產生的連詞義項

【結果】

舊版：在一定階段，事物發展所達到的最後狀態：優良的成

績，是長期刻苦學習的～/經過一番爭論，～他還是讓步了。（P646）

新版：增補②連詞。用在下半句，表示在某種條件或情況下產生某種結局：經過一番爭論，～他還是讓步了。（P698）

“結果”的固有義項很明顯是名詞，但在舊版用例中我們看到“結果”不僅有名詞的用法還有連詞的用法。新版將由名詞虛化而來並且已經穩定的介詞單立義項，比較合理。

（2）其他常用連詞的增加

其他常用連詞的增及共有 6 條，其中介詞中連詞義項的增加共計 3 條，如“由於”、“鑒於”、“因”；兼類詞中連詞義項的增加有 2 條，如：“或者”、“任憑”；書面語義 1 條如“緣”。

3.介詞義項的增加

介詞義項共增加 7 條，其中由實詞虛化而來的介詞只有 1 條；其他常用介詞義項的增加有 6 條。

（1）由實詞虛化產生的介詞義項

【除卻】

舊版：除去；去掉。（P187）

新版：增補②介詞，除了①：桌上～幾本書，沒有其他東西。（P203）

（2）其他常用介詞的增加

其他常用連詞的增及共有 5 條，其中兼類詞中義項增加有 2 條，如：“從”、“由”、“同”；與語素義密切相關的義項的增加 1 條，如：“借[2]”；義項排列在第一位的有 2 條，如“及至”、“因爲”。

4.語氣詞、嘆詞、助詞的增加

語氣詞、嘆詞、助詞各增加 1 條義項。語氣詞，如“嗎”，增加義項“②用在句末表示反問”；嘆詞如“嗟”，增加義項“①招呼聲”；助詞如“乎”增加義項“④表示祈使，跟“吧”相同”。

（三）不成詞語素義項的增加

不成詞語素義項的增加共計 83 條，占義項增加總數的 10.0%。我們這裏做簡單的分析，主要有以下幾種情況。

1.一般非詞語素義的增加

這裏一般非詞語素義的增加包括共時層面中因積極參與造詞而產生的新的語素義的增加，以及常見的、具有普遍意義的語素義的補充，共計 54 條。

（1）因積極參與造詞而產生的新的非詞語素義

非詞語素的語素義不能充當詞義，只能參與組詞和構詞。“詞素（不成詞語素）構詞時，其意義除了原有意義外，往往由於受整個詞或思維活動的影響而有所變化，或從詞素義向四周衍生，或借此及彼，或形容比喻，出現某些臨時性的變異，當這種臨時性的變異經常用於造詞時，它就會帶有一定的普遍性，被約定爲語言義，從而成爲一個新的語素義。”[15]也就是說不成詞語素義只有在積極參與構詞的過程中才能得到發展，新的語素義的出現就是以其參與組詞和構詞爲支撐的。這類語素義往往具有新時代的色彩。如：

【倉】

舊版：①名詞。倉房；倉庫。（P121）

15 張小平：《當代漢語詞素義的發展演變機制探悉》[J].語言文字學術研究，2008 年 1 月。

新版：增補②指倉位②。（P132）

【足】

舊版：①腳；腿。②器物下部形狀像腿的支撐部分。（P1678）

新版：增補③指足球運動。（P1818）

“倉”的固有義項爲“倉房、倉庫”，新增義項是經濟領域的術語，“倉”產生新義的是由於“倉”不斷參與構詞而使得其意義漸漸穩定下來，成爲新的語素義項。“足”的新增義項也是由於“足”不斷參與造詞產生的，如足壇、足女、足迷等等。

（2）補充常見的、具有普遍意義的語素義

這類語素義雖然沒有鮮明的“新”的色彩，但是卻是普通話詞彙中不可缺少的具有普遍意義的語素義。如：

【喪】

舊版：①丟掉；失去。（P1090）

新版：增補②情緒低落；失意：懊～/頹～。（P1176）

【擅】

舊版：①擅自。②長於。（P1103）

新版：增補①獨攬：～權。（P1190）

“喪”固有義項爲“丟掉；失去”，新增義項由固有義項派生而來，在現代漢語環境中仍然常用。“擅”的新增義項爲舊版固有兩義項的本義，新版增加義項有利於我們理解詞義。

2.標“書”、“古”的非詞語素義的補充

歷時層面中非詞語素義的補充，共計 15 條，其中主要是書面語素義的補充共計 14 條，標“古”的義項只有 1 條。這類語素義並不是在共時層面產生，但在共時層面中仍然常用，也能夠有助於我們梳理語素義的發展脈絡。如：

【黛】〈書〉

舊版：青黑色的顏料，古代女子用來畫眉。（P234）

新版：增補②青黑色的：～發。（P263）

【勵】

舊版：勸勉。（P779）

新版：增補②〈書〉振奮；振作：～精圖治。（P840）

3.補充地名、水名等專名語素

新版還補充了一些常用的地名、水名、山名等用字，共計 14 條。如：

【濠】

舊版：護城河：城～。（P502）

新版：增補②（Háo）濠河，水名，在安徽。（P543）

【玡】

舊版：琅玡，山名，在山東。（P1440）

新版：增補①琅玡，山名，在安徽。（P1559）

非詞語素義義項增加的總體情況，見下表 2.8。

表 2.8

類　別	一般語素義	書面語義、古義	專名語素
義項數（條）	54	15	14
比例 %	65.06	18.07	16.87
例　詞	倉、喪	黛、勵	濠、玡

（四）短語義項的增加

短語義項的增加很少，只涉及 10 條，占義項增加總數的 1.20%。我們只是概括介紹，不再另立條目分析。新版增加的 9 條短語義項中包括：成語 1 條如“說一不二”、“半死不活”；

慣用語 1 條如“草台班子”；方言 1 條如“一溜歪斜”；其他 6 條均是專科語如：“實用主義”、“經濟危機”、“連鎖反應”、“系統工程”（增加兩義）、“中產階級”。短語義項的增加主要增加具有普遍意義的義項，是語義延伸的結果。

（五）義項的增加小結

我們所統計的義項的增加，共涉及 809 個條目，共增加義項 830 條，以上是我們對 830 增加義項的逐一分析，具體計量統計見表 2.9。

表 2.9

義 項 類 別	實　詞	虛　詞	非 詞 語 素	短 語
義項數（條）	697	40	83	10
百分比 %	83.98	4.82	10.0	1.20
例　　詞	訪問、速記	及至、下意識	擅、足	經濟危機、鬥

實詞義項是義項增加的主體，占義項增加總量的 83.98%，其中又以名詞義項、動詞義項增加最爲顯著。從義項產生的途徑來說，因語義延伸而增加的義項以及因詞性（語法功能）不同而增加的義項，是實詞義項增加的主要部分。

虛詞義項的增加，只有 40 條，占義項增加總量的 4.82%。這裏，我們將副詞也看爲虛詞的一部分，副詞增加的義項最多，共計 23 條義項，其他虛詞義項增加的較少。虛詞增加的數目雖然較少，但是虛詞義項增加的途徑，卻是值得重視的。實詞虛化的過程往往比較漫長，卻更能反映歷時層面中詞義的發展。

非詞語素義項的增加，共計 83 條，占所增義項總量的 10%。非詞語素義項的增加除了補充常用的非詞語素、歷時層面中的非詞語素以及一些地名用字之外，最重要是補充一些新語素義，即因積極造詞而產生的語素義。一般來說，語素義的發展會促使詞義的發展，但是也有一部分是由於詞義的發展而引起語素義的增加。比如，“客”原指“客人”，但是隨著“客隊”、“客串”、“客座”等詞的出現，“客”的語素義也豐富起來，逐漸產生“非本地區或非本單位、非本行業的”之義。這類語素義的出現，往往帶有時代氣息。

短語義項的增加很少，占義項增加總數的 1.20%，即對短語所具有的普遍意義進行補充。

我們所描寫的義項增加的過程，其實就是在描述新義項與舊義項之間的聯繫與區別，在詞義豐化的過程之中，找到它們的聯結點，試圖讓其發展的軌跡更爲清晰。

二、義項的刪減

伴隨著新義迭出這種現象的另一方面是某些詞語一部分詞義的淡出，即一部分詞義正逐漸走向隱沒。正如曹煒先生所言，“淡出是一個弱化的過程”[16]，詞義的淡出，並不一定意味著詞義的徹底消失，有些詞義因爲客觀事物的發展、人們認識的進步等原因直接退出普通話詞彙系統；有些詞義則會由新的詞語承載，而使得原來承載詞義的義項漸漸走向隱沒。這些情況，在詞典中都表現爲多義詞語義項的刪減。新版共刪減義項 447 條，從詞性或語法功能分佈上分爲：實詞義項 398 條，其中包括名詞義項 196 條，動詞義項 140 條，形容詞義項 58 條，量詞義項 3 條，擬聲詞義項 1 條；虛詞義項 10 條，其中包括副詞義項 8 條，助詞義項 2

16 曹煒：《現代漢語詞義學》，第 163 頁，學林出版社，2001 年版。

條；語素義項 27 條；短語義項條 1 條。另外，還有 9 條爲異體字、異形詞類義項的刪除。

義項的刪減與義項增加不同，所以我們對兩者所做的處理也不同。對於義項的增加，我們主要從義項增加的途徑著手即分析新增義項與固有義項在語義、語法上的聯繫；而對於義項的刪減，我們則主要從新版刪減固有義項的原因著手，分析義項刪減的外在與內在的因素。詞義致用性的強弱，適用地域範圍的寬窄、詞義的時間因素以及詞義語法功能方面的因素等都會影響到義項的刪減。我們將這 447 條義項的刪減，主要分爲以下幾種情況：(1)不常用的古義、舊義的刪減；(2)適用範圍不廣的方言義的刪減；(3)過專義項的刪減；(4)社會生活各領域中不常用義的刪減；(5)不常用、不穩定的功能義的刪減；(6)不規範義項的刪減；(7)異體字、異形詞類義項的刪除。就某一個刪減的義項而言，也會有原因交叉的現象出現，對於每一條刪減義項我們只計量一次，不重複計量，刪減原因交叉的地方，我們會在行文中說明。

(一) 不常用的古義、舊義的刪減

這裏的古義、舊義具有鮮明的時代色彩，包括書面語義項、釋義中標明古時代屬性的義項、釋義中標有“舊指”、“舊稱”、“白話”等舊時代屬性的義項。隨著時間的推移，這些本身就帶有時代局限性的成員已經不適應現代漢語的發展，從而退出了現代漢語的詞彙系統。新版刪除舊版不常用的古義項、舊義項共計 70 條，占刪減義項總量的 15.66%，其中有 4 條方言舊義的刪減也歸入此類。

1.書面語義項的刪減（46條）

【食指】

舊版：①緊挨著大拇指的手指頭。②〈書〉比喻家庭人口。（P1148）

新版：示指的通稱。（P1240）

【出示】

舊版：①拿出來給人看。②〈書〉貼出佈告。（P184）

新版：刪減②。（P199）

“食指”常用義即表示手指，舊版義項②中的比喻義在書面語層面已經不常用，並且也沒有向口語轉化的趨勢。“出示”舊版的書面語義“貼出佈告”，顯然已經不再適用於當下人們的生活。

2.釋義中表明舊時代屬性的義項的刪減（19條）

【成衣】

舊版：①舊時指做衣服的（工人或鋪子）：～匠/～鋪。②製成後出售的衣服。（P160）

新版：刪減①。（P174）

【日光】

舊版：①太陽發出的光。②時光（多見於早期白話）。（P1069）

新版：刪減②。（P1152）

“成衣”舊版義項①反映的是舊時代的事物，因顯得過於陳舊而脫離了我們現在的生活。所以新版予以刪除。“日光”舊版義項②大都用於白話中，如今已經被“時間”等詞代替。

3.釋義中表明古時代屬性的義項（5條）

【天書】

舊版：①天上神仙寫的書或信（迷信）。②比喻難認的字或難懂的文章。③古代帝王的詔書。（P1246）

新版：刪減③。（P1347）

【文法】

舊版：①語法。②古代指法令成文。（P1318）

新版：刪減②。（P1427）

“天書”義項③、“文法”義項②均表示古代的事物，在現代漢語中已經沒有什麼生命力，新版予以刪除。

（二）適用範圍不廣的方言義項的刪減

《現漢》從方言中吸收的詞義大部分還未完全沉澱在普通詞彙之中，所以它們屬於普通話詞彙詞義架構中的邊緣性成員。這些成員很容易因時代的發展或地域的局限性而退出普通話詞彙的系統。新版刪除舊版適用範圍不廣的方言義項共計 92 條，占刪減義項總量的 20.58%。

【讀書人】

舊版：①指知識份子。②〈方〉指學生。（P311）

新版：刪減②。（P336）

【反水】

舊版：〈方〉①叛變。②反悔；變卦。（P349）

新版：刪減②。（P379）

【癟】

舊版：①物體表面凹下去。②〈方〉爲難；使爲難。（P87）

新版：刪減②。（P93）

“讀書人”義項②表示“學生”，“學生”一詞本身已經普及到各地區，舊版義項在地域性上已經不佔優勢。“反水”兩義項都是方言義，但是義項②已經不具備普遍意義，新版予以刪除，“癟”的第二個義項使用頻率不高，只在一小部分地域中使用，已經成爲完全的方言詞。

（三）過於專業、冷僻義項的刪減

舊版收錄的表示各專業領域的義項中，有一部分過於專業、冷僻，使用頻率低，詞義所指稱的事物概念過於細緻，不利於人們掌握和理解，新版予以刪除；還有一部分表示別稱的副條義項，其主詞條因過於專業、冷僻被新版刪除，這些副條義項也隨之被刪除。此類義項的刪減共有 69 條，占義項刪減總量的 15.44%。

【漂移】

舊版：①漂浮的物體朝某個方向移動：冰塊隨著海流～。②電子器件受環境溫度、電壓變化等的影響，使電子線路的工作頻率、電壓等不能穩定在某一點的現象：頻率～/零點～。（P971）

新版：物體在液體表面漂浮移動。（P104）

【橡膠】

舊版：①高分子化合物，分爲天然橡膠和合成橡膠兩大類，彈性好，有絕緣性不透水、不透氣、橡膠製品廣泛運用在工業和生活方面。②特指天然橡膠。（P1379）

新版：刪減②。（P1491）

【共管】

舊版：①共同管理。②國際共管的簡稱。（P441）

新版：刪減②。（P479）

“漂移”中固有義項②過於專業，新版予以刪除。“橡膠”

的固有義項②即特指義對於“橡膠”的分類過於細緻，適用範圍太窄，新版予以刪除。“共管”固有義項的刪除，是因爲“國際共管”這個短語過於專業，新版將其刪除，那麼它的“簡稱”副條條目也自然被刪除。

（四）社會生活各領域中不常用義項的刪減

普通話詞彙中還有一部分詞語並沒有明顯古時代、舊時代的標記，也沒有鮮明的地域色彩或專科色彩，它們活躍於社會生活領域各個領域之中。客觀事物的消亡或發展也促使著詞語的意義不斷更新，一些指稱落後事物的詞義漸漸無人問津；同時，人們觀念逐漸改變，詞義也需要獲得新的符合人們表達習慣的載體來承載，從而促使一些固有義項漸漸走向隱沒。社會生活各領域中不常用義項的刪減共有 124 條，占刪減義項總量的 27.74%。

1.比喻義、借指義、泛指義的刪減

比喻義、借指義、泛指義，這些具有特殊指示詞的意義，隨著時代的發展，也漸漸隱沒，反而它們的本義還留在現代用漢語普通話的系統中。

a. 比喻義的刪減（12 條）

【辣子】

舊版：①辣椒。②比喻潑辣、厲害的婦女。（P746）

新版：刪減②。（P806）

b. 借指義的刪減（2 條）

【開光】

舊版：①神佛的偶像雕塑完成後，選擇吉日，舉行儀式，揭去蒙在臉上的紅綢，開始供奉。②借指人理髮、剃頭或刮臉（含

詼諧意）。（P698）

新版：刪減②。（P756）

c. 泛指義的刪減（3 條）

【操練】

舊版：①以列隊形式學習和練習軍事或體育等方面的技能。②泛指訓練或鍛煉：～身體。（P123）

新版：刪減②。（P134）

2.社會生活各領域中其他義項的刪減

社會生活各領域中其他義項的刪減共涉及 107 條，由於客觀事物的消失促使詞義消失的較爲少見，由於客觀事物的發展以及人們觀念的變更促使詞義有其他詞語承載的情況較多。

【煙斗】

舊版：①吸煙用具，多用堅硬的木頭製成一頭裝煙葉，一頭銜在嘴裏吸。②鴉片煙槍上的陶質球狀物，頂端乳頭狀的部分有小孔。（P1442）

新版：刪減②。（P1562）

【報子】

舊版：①報告消息的人；探子（多見於舊戲劇、小說）。②舊時給得官、升官、考試得中的人家報喜而討賞錢的人。③報單②。④指海報或廣告：新戲的～一貼，轟動了全城。（P48）

新版：刪減④。（P52）

【明亮】

舊版：①光線充足。②發亮的。③明白。④清晰響亮：歌聲～。（P889）

新版：刪減④。（P956）

“煙斗”刪除的固有義項②指稱鴉片槍上的一個裝置，鴉片槍在我們生活中已經非常少見，或者可以說已經消失不見，所以指稱它上面的裝置也沒有必要在辭書中設立義項。“報子”刪除的固有義項，在我們如今的生活中所指稱的事物並沒有太大的變化，但是這些事物已經不稱爲“報子”，而多被稱爲“海報”、“廣告”等。“明亮”通常用來形容光線以及人的心理，一般不用來形容聲音，所以新版刪除義項④。

（五）功能義項的刪減

第一節我們提到，有的義項增加是緣於語法功能和語義兼而有之的變化。因語法功能不同而產生的詞義，相對穩定地在語言中反復出現，語文辭書就需要將其收入，但是有些詞義只是偶然使用的臨時用法，對語境的依賴程度很高，或者有些功能義比較冷僻，也就沒有必要收入辭書；還有一些詞義只是語法功能發生了變化，語義卻沒有明顯的變化，即也沒有必要再另立義項，如蘇寶榮先生所建議的“動詞指稱化，爲自指的，語法特徵發生變化，而詞義沒有明顯變化（當然，也不能說完全沒有變化），在語文辭書中不再單獨立項，而是通過例句及附加說明的做法顯示其語法功能及語義上的差異。”[17]功能義項的刪除，共計 53 條，占刪減義項總量的 11.86%。方言義項、比喻義項中也有功能義的刪減，但是由於之前我們將其歸入方言因素、比喻因素討論，這裏不重複計量。

【跟隨】

17　蘇寶榮：《詞的功能對詞義的影響與語文辭書編纂》[J].語言文字運用，2004 年 5 月。

舊版：①跟②。②指跟隨人員。（P429）

新版：刪除②。（P465）

【博古】

舊版：①通曉古代的事情。②指古器物，也指以古器物爲題材的國畫。③仿照古器物或古代款式的。（P97）

新版：刪減③。（P105）

【管制】

舊版：①強制管理。②強制性的管理。③對罪犯或壞分子施行強制管束。（P466）

新版：刪減②。（P505）

“跟隨”原爲動詞，其功能義爲名詞，即表示動作行爲的實施，但是這個名詞功能義項隨著時代的發展，已經不常用，所以新版予以刪除。“博古”的功能義項③也比較冷僻，新版本予以刪除。“管制”所刪減的名詞性功能義項，除語法功能發生變化之外，語義並沒有什麼明顯變化，這些功能義以用例的形式出現在詞典中較爲合理。

（六）不規範或不獨立使用的義項的刪減

舊版有部分義項的設立不太恰當，共計 30 條，占刪減義項總量的 6.71%。我們分爲以下三種情況：

1.詞義僅僅是語素義簡單相加的義項的刪減

舊版中有些詞義項僅僅是語素義簡單相加的結果，並且兩語素義之間的聯繫太鬆散，所以它們並不適合以詞的形式進入辭書，也不適合以固定短語的形式進入辭書，此類義項的刪減共涉及 9 條。如：

【接著】

舊版：①用手接。②連著（上面的話）。（P643）

新版：刪除①。（P694）

“接著”，語素義之間的聯繫非常鬆散，意義非常簡單明瞭，只是兩語素義的簡單相加，新版予以刪除。

2.不能獨立使用的義項的刪減

舊版中有些詞語義項，是汲取了成語或其他固定短語的成分而來，這些詞義只能在成語或固定短語中才能表現出來，很少獨立使用，新版予以刪減，共計 12 條。如：

【出世】

舊版：①出生。②產生。③超脫人事，擺脫世事的束縛。④指高出人世：橫空～（橫亙太空，高出人世，形容山極高）。（P184）

新版：刪減④。（P199）

【風行】

舊版：①普遍流行。②形容迅速：雷厲～。（P378）

新版：刪減②。（P409）

“出世”所刪減的固有義項④和“風行”所刪減的固有義項“②”，一般都不獨立使用，它們所表示的意義也只有在成語中才能表現出來，所以新版予以刪除。

3.因詞義得到修正而被刪減的義項

人們對事物認識的深化、細化，也使得詞義更加準確、精細。舊版對有些詞語的“簡稱”、“俗稱”等別稱的標注並不科學，新版修訂的方法之一即對這些不科學的別稱進行刪減，這就促使了一些表示別稱類義項也隨之被刪減了。此類義項的刪減共有 9 條。如：

【芙蓉】

舊版：①木芙蓉。②荷花。（P385）

新版：刪減①。（P418）

【蝶泳】

舊版：①游泳的一種姿勢，也是游泳項目之一，跟蛙泳相似，但兩臂劃水後須提出水面再向前擺去，因形似蝶飛而得名②指海豚泳。（P292）

新版：刪減②。（P317）

隨著自然科學的發展，對“芙蓉”和“木芙蓉”認識的加深，“芙蓉”與“木芙蓉”是兩種不同的植物，“芙蓉”並不是“木芙蓉”的別稱，所以新版刪減義項①。舊版中“海豚泳”是“蝶泳”的變形，有時也叫“蝶泳”，但是隨著游泳名稱和項目的規範化和細化，“海豚泳”成爲“蝶泳”的一個類別，隸屬於“蝶泳”，所以不能再用“海豚泳”釋“蝶泳”。

（七）異體字、異形詞類義項的刪減

義項的刪減還涉及了少數異體字、異形詞類義項的刪減，共計 9 條，占刪減義項總量的 2.01%。如：

【懋】

舊版：①〈書〉勸勉；勉勵。②〈書〉盛大。③同“茂”。（P859）

新版：刪減③。（P925）

【大指】

舊版：①拇指。②同“大旨”。（P238）

新版：刪減②。（P258）

（八）義項刪減小結

新版共刪減義項 447 條，以上是我們對這 447 條義項的逐一分析，具體計量結果見表 2.10。

表 2.10

	書、古舊義	方言義	過專義	生活中不常用義	功能義	不規範義項	異形
義項數（條）	70	92	69	124	53	30	9
比例 %	15.66	20.58	15.44	27.74	11.86	6.71	2.01
例　詞	食指	成衣	漂浮	煙斗	跟隨	芙蓉	大指

我們所統計的義項刪減的情況，主要是從刪減的原因出發，進行描寫。這 447 條義項，最主要的是刪減社會生活領域不常用義項，占所有刪減義項的 27.74%；其次是刪減適用地域不寬的方言義項，占 20.58%；書面語義、古語義、舊義的刪減居第三，占 15.66%，其中以刪減書面語義爲主體；由於過於專業而刪減的義項，占 15.44%；比較偏僻的、臨時的功能義的刪減，占 11.86%；不規範義項以及異形字、異形詞義項的刪減比例較少，分別占 6.71%和 2.01%。

詞義發展的長河之中，一部分詞義的豐化，必然也促使一部分詞義的隱退。正如我們上文所描寫的，有一些曾經走俏的、活躍在我們日常生活中的詞義如今已經失去了往日的顯赫，有一些帶有濃重時代色彩、地域色彩的詞義，專業色彩的詞義曾經頻頻露臉，如今卻是門可羅雀、難覓蹤影，這些變化都能在詞典的修訂中找到印證。

三、義項的分立與合併

舊版《現漢》在義項劃分方面還有一些不完善，新版予以修訂，對舊版義項進行分立與合併。義項的分立與合併，有兩種情況，一種是條目內部的義項的分立與合併，一種是因條目的分立與合併，引起的義項的分立與合併。

（一）條目內部義項的分立與合併

"一個多義詞的各種意義構成一個意義範疇，範疇中的義位有原型義和非原型義之分，意義之間的界限是模糊的；不同的義位元之間有相同的特徵，也有區別的特徵。詞典要進行釋義首先要區分出多義詞的不同義位，因此義項劃分是詞典釋義的基礎。"[18]義項劃分在詞典釋義中是至關重要的，但是多義詞各個義項之間的界限卻是模糊的，是相對的，並不是絕對的，加上編纂人員的主觀性，義項劃分就成爲一個難點。《現漢》是以現代語言爲主的詞典，根據詞典的功能和類型，義項劃分可以與其他詞典不完全相同。義項劃分雖然不可能絕對化，但也不是任意的，"義項在多義詞的整個詞義系統內部是相對獨立的，但是義項之間又有聯繫，因此原則上應該在意義聯繫最薄弱的地方劃分義項"。同時，義項要進行概括，才能夠使劃分的義項詞義明確，脈絡清晰。在區分與概括的過程中，要注意"排除個別義，抽象一般義；排除詞句因素，抽象詞素義；排除政治因素，抽象固有義；排除重疊、遺漏因素，抽象完整義；排除含混義，抽象準確義"。[19]

---

18 章宜華 雍和明：《當代詞典學》，第 222 頁，商務印書館，2007。
19 黃建華：《詞典論》，第 117 頁，上海辭書出版社，2001。

新版對舊版義項劃分不完善的地方，做了一些改進即在條目內部對義項進行分立與合併。

1.條目內部義項分立

條目內部義項的分立是指新版將舊版固有條目下的某條義項分立爲多條義項，據統計，共有 194 條固有義項被分立爲兩條或三條義項。條目內部義項的分立有兩種情況：一種是語義上的差別引起的義項的分立；一種是語法功能上的差別引起的義項的分立。

（1）語義上的差別引起的義項的分立

舊版有一些固有義項中包含了幾個不同方面的意義，這些意義雖然有聯繫，但是在語義上也有明顯的區別，不應該共存於一條義項之中，新版對這些意義進行了區分，共有 77 條義項被分立，其中涉及名詞義項 37 條，動詞義項 18 條，形容詞義項 10 條，副詞義項 2 條，量詞義項 1 條，介詞義項 1 條，數詞義項 1 條，短語義項 3 條，語素義項 4 條。新版主要是對這些義項中包含的意義從不同的指稱範圍、不同的領域、不同方面進行了區分。

a. 比喻義、泛指義、特指義與其基本義的區分

比喻義、泛指義、特指義與其基本義的區分共計 12 條，其中比喻義與本義的分立涉及 6 條義項，泛指義與基本義的分立涉及 5 條，特指義與基本義的區分涉及 1 條。如：

【學舌】

舊版：①模仿別人講話。比喻沒有主見，只是跟著別人說。（P1429）

新版：①模仿別人講話。②比喻沒有主見，只是跟著別人說。（P1547）

【微觀】

舊版：深入到分子、原子、電子等結構領域的，泛指部分或較小範圍的（跟“宏觀”相對）。（P1306）

新版：①深入到分子、原子、電子等結構領域的（跟“宏觀”相對）。②指部分或較小範圍的（P1413）

【抗戰】

舊版：抵抗外國侵略的戰爭，在我國特指 1937-1945 年反抗日本帝國主義侵略的戰爭。（P708）

新版：①進行抵抗外國侵略的戰爭。②特指我國 1937-1954 年反抗日本帝國主義侵略的戰爭。（P765）

比喻義、泛指義、特指義與其基本義的分立，反映的也是詞義發展的一種過程，即“學舌”的比喻義、“微觀”的泛指義、“抗戰”的特指義從依附於它們各自的基本義之後，到發展爲獨立義項，是詞義由不穩定到穩定的一個過程。

b. 其他不同領域、不同方面的意義的區分

舊版固有義項涉及到了不同領域、不同方面的意義，包括時間、空間、性質、狀態等的不同，雖然意義之間也有著聯繫，但是它們之間的分界是比較明顯清晰的，不宜同立於一條義項之內，新版予以分立，共涉及 65 條義項。人們對客觀事物的區分越來越細，許多概念、觀念的區分也更加精確，所以詞義也得到了細化。如：

【傳代】

舊版：一代接一代地繼續生存或保留。（P193）

新版：①子孫一代接一代地延續。②把物品、技藝等一代一代地傳下去。（P209）

【蒼勁】

舊版：（樹木、書畫等）蒼老挺拔：～古松/他的字寫得～有力。（P122）

新版：①（樹木）蒼老挺拔：～古松。②（書法、繪畫）老練而雄健有力：他的字寫得～有力。（P132）

【指法】

舊版：指戲曲、舞蹈表演中手指動作的方式；演奏管弦樂器時用手指的技巧。（P1619）

新版：①操作鍵盤、演奏管弦樂器時用手指的技法。②指戲曲、舞蹈表演中手指動作的方式。（P1753）

新版將舊版“傳代”的兩層意思“生存”和“保留”分立爲兩個義項，並加上具體的對象，細化了“傳代”的詞彙意義。“蒼勁”的適用對象一是“樹木”，一是“書法、繪畫等”，適用物件不同，詞義有所區別，新版予以區分，從釋義的用例中我們也能看出意義的區別。“指法”在不同的專業領域有不同的意義，一種表示動作的方式，一種表示手指的技法，區別比較明顯，新版予以分立，同時隨著時代的發展，“指法”的指稱範圍也有所擴大，新版對其釋義予以增補。

（2）語法功能上的差別引起的義項的分立

給《現漢》中的詞語標注詞性，是新版修訂的一個重大舉措，也正是因爲要給詞語標注詞性，使得舊版一些釋義比較含糊或釋義中包含幾個不同詞性的條目必須分立。舊版有一些固有義項中包含了幾個語法功能不同且語義也有差別的意義，這些固有義項的釋義有的概括性太強，只通過用例來表示詞語不同的語法功能；有些釋義雖然比較明確，但是卻只用“；”、“或”等形式在釋義中表明語法功能的區別，也沒有分立義項。新版給詞語標注詞性，分立語法功能不同的義項，這不僅使得《現漢》的體例更加一致、規範，也有助於我們理解和分清詞語的用法，並且這種義項的分立也能反映出有些詞語的功能義從不穩定發爲獨立義項的一種過程。語法功能上的差別引起義項的分立，共涉及 117 條。

a. 固有義項分立後爲動詞、名詞

固有義項分立爲動詞、名詞的共有 31 條。義項能夠分立爲動詞、名詞，往往是因爲固有義項的幾個意義中含有動作行爲以及動作行爲所涉及的施事物件、與事物件、受事物件、結果等。如：

【傷亡】

舊版：受傷和死亡；受傷和死亡的人。（P1104）

新版：①動詞，受傷和死亡。②名詞，受傷和死亡的人。（P1191）

【剪輯】

舊版：經過選擇、剪裁，重新編排，也指這樣編排的作品。（P617）

新版：①動詞，經過選擇、剪裁，重新編排。②名詞，這樣編排的作品。（P667）

“傷亡”固有義項表示動作行爲以及動作行爲的與事物件，新版將其分立。“剪輯”包括動作行爲以及動作行爲的受事物件，新版予以分立。

b. 固有義項分立爲動詞和形容詞

固有義項分立爲動詞和形容詞，共涉及 19 條義項。義項能夠分立爲動詞、形容詞往往是因爲固有義項的幾個意義中涉及動作

行爲以及與動作行爲有關的性質、狀態，或者涉及某種事物的動態表現以及該事物所具有的特徵。如

【明達】

舊版：對事理有明確透徹的認識；通達：明達公正。（P888）

新版：①對事理有明確透徹的認識。②通達：明達公正。（P955）

【不足】

舊版：①不充足；不滿（某個數目）：先天～｜估計～｜～三千人。（P110）

新版：①形容詞，不充足：先天～｜估計～。②動詞，不滿（某個數目）～三千人。（P119）

“明達”固有義項表示一種心理活動以及此心理活動表現出來的特點，新版予以分立。“不足”固有義項表示某事物的狀態即“不充足”以及該狀態所具有的動態表現即“不滿”，新版予以分立，我們從用例的分立中也可以看出它們的區別。

c. 固有義項分立爲形容詞和名詞

固有義項分立爲名詞和形容詞，共涉及 22 條義項。義項分立爲名詞和形容詞往往是因爲義項的幾個意義中涉及某種性狀、特徵以及具有某種性狀特徵的人或物，或者涉及某種事物以及該事物具有的性狀特徵。如

【大舌頭】

舊版：舌頭不靈活，說話不清楚。也指有這種毛病的人。（P236）

新版：①形容詞，舌頭不靈活，說話不清楚。②名詞，指舌頭不靈活，說話不清楚的人。（P255）

【錦繡】

舊版：精美鮮豔的絲織品，比喻美麗或美好。（P658）

新版：①精美鮮豔的絲織品。②比喻美麗或美好。（P711）

"大舌頭"固有義項表示人的某種狀態，以及處於這種狀態的人，新版予以分立。"錦繡"固有義項表示一種絲織品，以及與這種絲織品有關的性質，新版予以分立。

d. 固有義項分立爲其他不同詞性的義項

固有義項分立爲動詞和形容詞，形容詞和名詞，以及名詞和形容詞這三類的數量較多。固有義項分立爲其他不同義項的數量較少，共有 30 條義項被分立，我們歸入一起討論。

固有義項分立爲動詞和副詞（9 條）如：

【歸總】

舊版：把分散的歸併到一處；總共：把各小組報的數字～一下/說什麼大隊人馬，～才十幾個人！（P473）

新版：①動詞。把分散的歸併到一處：把各小組報的數字～一下。②副詞。總共：說什麼大隊人馬，～才十幾個人！（P513）

固有義項分立爲形容詞和副詞（7 條）如：

【正巧】

舊版：剛巧；正好：你來得～，我們就要出發了。（P1607）

新版：①副詞。剛巧：事情發生的時候，我～在場。②形容詞。正好；十分湊巧：你來得～，我們就要出發了。（P1740）

固有義項分立爲名詞和量詞（2 條）如：

【造 2】

舊版：②農作物的收成或收成的次數：早～/晚～/一年三～皆豐收。（P1572）

新版：〈方〉②名詞。農作物的收成：早～/晚～③量詞。農作物收成的次數：一年三～皆豐收。（P1701）

固有義項分立爲動詞和介詞（2 條）如：

【給】

舊版：⑤叫：讓。a）表示使對方做某件事情。b）表示容許對方做某種動作。C）表示某種遭遇。（P427）

新版：②動詞。叫：讓。a）表示使對方做某件事情 b）表示容許對方做某種動作⑥介詞。某種遭遇；被。（P464）

固有義項分立爲名詞和副詞（3 條）如：

【分別[2]】

舊版：②不同：～對待/～處理/看不出有什麼～。（P367）

新版：②副詞，按不同方式；有區別地：～對待/～處理。④名詞，不同；差別：看不出有什麼～。（P398）

固有義項分立爲動詞和連詞（1 條）如：

【致使】

舊版：由於某種原因而使得；以致：由於字跡不清，～信件無法投遞。（P1624）

新版：①動詞。由於某種原因而使得：這場大雨～數十間房屋倒塌。②連詞：以致：由於字跡不清，～信件無法投遞。（P1759）

固有義項分立爲副詞和連詞（2 條）如：

【脫】

舊版：⑥〈書〉倘若；或許：～有不測/～有遺漏，必致誤事。（P1286）

新版：⑥〈書〉副詞。或許：～有不測。⑦〈書〉連詞。⑦倘若：～有遺漏，必致誤事。（P1391）

固有義項分立爲代詞和副詞（1 條）如：

【另】

舊版：另外：～選/～議/～有任務/～一回事/～只抄寄/走了另一條路。（P808）

新版：①指示代詞。另外①：～一回事/～只抄寄/走了另一條路。②副詞。另外②：/～議/～有任務/～找門路。（P871）

固有義項分立爲量詞和助詞（1 條）如：

【般】

舊版：種；樣：這～/百～安慰/十八～武藝/暴風雨～的掌聲。（P32）

新版：①量詞，種；樣：這～/百～安慰/十八～武藝。②助詞，一樣；似的：暴風雨～的掌聲。（P34）

“般”的舊版釋義“種；樣”比較含糊，且用例中也有助詞的用例，所以我們將此作爲義項分立處理。

固有義項分立爲代詞、連詞、副詞（1 條）如：

【另外】

舊版：在說過的之外；此外：我還要跟你～談一件事情/他家新買了一台拖拉機，～還買了脫粒。（P808）

新版：①指示代詞。指所說範圍之外的人和事：我還要跟你～談一件事情。②副詞。表示在所說範圍之外：我另外又補充了幾點意見。③連詞。此外：他家新買了一台拖拉機，～還買了脫粒機。（P871）

固有義項分立爲動詞、名詞、連詞（1 條）如：

【譬方】

舊版：比方。（P968）

新版：①動詞，比方①。②名詞，比方②。③連詞，比方④。（P1041）

e. 固有義項分立爲語素和詞

舊版將有些單字條目的非詞語素義和詞義置與同一條義項之中，由於兩者的語法單位不一致，一個是構詞單位，一個是組句單位，用法自然也不一樣，新版將它們區分爲不同的義項，共涉及 13 條。如：

【新】

舊版：②性質上改變得更好的；使變成新的：～新社會/～文藝/改過自～/一～耳目/粉刷一～。（P1401）

新版：①性質上改變得更好的（跟“舊”相對）：～新社會/～文藝/粉刷一～。②使變成新的：～改過自～/一～耳目。（P1515）

“新”的意義作爲“性質上改變得更好的”時，爲形容詞，而作爲“使變成新的”意義時，只能存在於成語中，不能獨立使用，所以新版將固有義項分立。

f. 固有義項分立爲不同語法屬性的語素義

新版不僅僅對詞性不同的義項進行了分解，對不同語法屬性的非詞語素也進行了分解，涉及 2 條義項。如：

【初】

舊版：⑤原來的；原來的情況：～心/～志/和好如～。（P185）

新版：⑥原來的：～心/～志/～願。⑦原來的情況：和好如～。（P201）

“初”固有義項⑤包含兩種不同語法性質的語素義，新版將其分爲形容詞性語素義和名詞性語素義。

2.條目內部義項的合併

條目內部義項合併指的是，舊版中一個多義詞語的幾個義項合併爲一條義項。義項劃分，既要注重義項之間的區別，也要顧及義項之間的聯繫，即對義項要進行一定歸納和概括。新版合併舊版固有義項都是出於語義上的原因。意義非常相近卻被分立爲不同的義項，反而割裂意義之間緊密的聯繫，破壞意義的完整性，使義項設立顯得煩瑣、多餘，所以新版將這些義項進行合併，共計 52 組。

固有名詞義項合併爲 1 條義項（24 組）如：

【齊 2】

舊版：②指南齊。③指北齊。（P993）

新版：②a）指南齊。b）指北齊。（P1069）

固有動詞義項合併爲 1 條義項（18 組）如：

【戀群】

舊版：①依戀常在一起的人：他從小～，出門在外，時常懷戀家鄉的親友②動物依戀和自己生活在一塊的群體：～戀群。（P787）

新版：捨不得離開群體：獼猴～｜他從小～，出門在外，時常懷戀家鄉的親友。（P849）

固有形容詞義項合併爲 1 條義項（3 組）如：

【蠢笨】

舊版：①笨拙：～的狗熊。②不靈便：～的牛車。（P203）

新版：笨拙；不靈便：～的狗熊。（P220）

固有副詞義項合併爲 1 條義項（2 組）如：

【有點兒】

舊版：有點（～兒）①表示數量不大或程度不深：鍋裏還～剩飯/看來～希望。②副詞，表示略微；稍微（多用於不如意的事情）：今天他～不大高興/這句話說得～叫人摸不著頭腦。（P1527）

新版：有點兒：表示程度不高；稍微（多用於不如意的事情）今天他～不大高興/這句話說得～叫人摸不著頭腦。注意："有點"有時是動詞和裏量詞的組合，如"鍋裏還～剩飯"、"看來～希望"。（P1652）

固有量詞義項合併爲 1 條義項（1 組）如：

【爿】

舊版：②量詞，田地一片叫一爿。③量詞，商店、工廠等一家叫一爿。（P948）

新版：②量詞，a） 田地一片叫一爿。b） 量詞，商店、工廠等一家叫一爿。（P1020）

固有介詞義項合併爲 1 條義項（1 組）如：

【爲】

舊版：③介詞，表示目的：～大家的健康乾杯/～建設偉大祖國而奮鬥。⑤因爲：～何。（P1314）

新版：③介詞，表示原因、目的：大家都～這件事高興/～建設偉大祖國而奮鬥。（P1422）

固有短語義項合併爲 1 條義項（3 組）如：

【瞻前顧後】

舊版：①看看前面再看看後面。形容做事以前考慮周密謹慎。②形容顧慮過多，猶豫不決。（P1581）

新版：看看前面再看看後面。形容做事以前考慮周密謹慎，也形容顧慮過多，猶豫不決。（P1711）

3.條目內部義項分立與合併小結

義項內部條目的分立與合併，以義項分立爲主，共有 194 條義項被分立，以義項合併爲輔，共有 52 組義項被合併。

義項的分立，又以語法功能上的區分爲主，共涉及 117 條義項被分立；語義區分爲輔，共涉及 77 條義項被分立。語法功能上 117 條義項的分立，以名詞、動詞、形容詞三大開放詞類之間的分立最爲顯著，共涉及 72 條義項，其他義項分立較少。因語法功能不同而分立的義項，是因爲新版一方面受到詞性標注的影響，將一些舊版釋義比較含混的義項分立，另一方面也將固有義項中漸漸穩定下來的功能義單獨立爲義項。語義上 77 條義項的區分，也是以名、動、形義項的分立最爲顯著，共涉及 65 條。語義上的不同而分立的義項，一方面是由於人們對客觀事物的區分越來越細，許多概念、觀念的區分也更加精確，詞義細化漸漸成爲一種趨勢；另一方面，是由於一些原依附于基本義之後的比喻義、泛指義、特指義漸漸穩定，最後獨立爲義項。

義項合併都是語法功能相同的義項的合併，涉及 52 組義項。其中，又以名詞、動詞義項合併情況最多，共涉及 42 組。義項合併的原因，主要是增強義項的概括性，以防割裂原本聯繫非常密切的意義。

（二）條目分合引起的義項的分立與合併

新版對舊版條目進行的分立與合併，主要是對舊版的同音形條目的分立與合併。同形條目的分合往往令人感到棘手，相同的物件，不同的詞典在處理上會存在很大差異，即使同一部詞典也會缺乏一個貫徹始終的原則。各個版本的《現漢》都非常注意汲取有關多義詞和同形詞研究的積極成果，不斷調整條目的分合，新版在此方面調整最爲顯著，意義也十分重大。

《現漢》從 1965 年送審的試用本開始，就以詞目右肩標注阿拉伯數字的形式將同音形詞分立條目，以此來避免混淆一詞多義和同一詞形承載多個詞語這兩種情況。在新版之前，單字同音形條目還是以詞目右肩標注阿拉伯數字的形式分立，多字同音形條目分立的情況則比較複雜。多字同音形條目分立有兩種形式：一是在條目右肩標注阿拉伯數字，用這種形式分立的條目應是《現漢》確認的同音形詞；二是條目右肩沒有標注阿拉伯數字，卻因注音中有無 ‖ 、起首字母大小寫及音節分連等分別立目。其中，‖ 號表示詞語的離合用法，起首字母大寫強調詞目爲專有名詞，音節分寫（即音節之間有空格）強調條目的片語屬性，但有這些標記的同形條目，在語義上往往有著聯繫。張博先生在分析影響《現漢》同形同音詞和多義詞區分的原因時提出，《現漢》在對具體條目進行處理時往往于意義之外還兼顧了一些其他因素，即“一個詞的幾個義項是否屬於同一語法類別、在某個意義上是否舊讀，注音方式如何，義項是多是少，使用頻率是高是低，等等。”[20]當《現漢》對這些因素過於看重時，可能會影響義項劃分的標準。曹煒先生曾經對比了《現漢》、《現代漢語大詞典》、《漢語大詞典》這三部詞典，對同形條目分合的問題提出了幾點意見：“對由詞與片語同形或詞與詞同形構成的而意義有沒有聯繫的同形結構，我們認爲宜分立詞目，分別釋義；對由詞與片語同形或詞與詞同形構成的而意義有密切聯繫的同形結構，我們傾向於合

20 張博：《影響同形同音與多義詞區分的深層原因》[J].寧夏大學學報,2005,01。

立在同一個詞目下，但應該分列義項，並建議在分列義項時對兩者語音形式上的差異予以標注，以示區別。”[21]新版對條目分合的調整，正對應了這幾點建議。

1.條目分立引起的義項的分立

條目分立引起義項分立，是指新版離析舊版條目，將舊版處理爲多義詞的條目分離爲不同的條目。據統計，共有 50 個條目被分立，其中大都是將舊版的多義條目處理爲條目右肩標注阿拉伯字母的同音形條目，只有 2 個條目是因爲舊版未區分輕音，而新版予以區分的情況。

新版將舊版的 48 個多義條目處理爲同音形條目，單字條目涉及 11 個，多字條目涉及 37 個。

（1）多義單字條目處理為同音形條目

新版將舊版多義單字條目處理爲同音形條目，主要是舊版多義條目之間沒有什麼聯繫，新版將其處理爲同音形條目更爲合理，涉及 11 個條目。如：

【批】

舊版：①〈書〉用手掌打。②〈書〉刮；削。③對下級檔表示意見或對文章表示批評（多指寫在原件上）④批判；批評。（P962）

新版：批[1]：〈書〉①用手掌打。②刮；削。批[2]：①對下級檔表示意見或對文章表示批評（多指寫在原件上）②批判；批評。（P1034）

“批”舊版的義項①與②的聯繫比較密切，但是義項③和前

21 曹煒：《現代漢語詞彙研究》，第 231 頁，北京大學出版社，2003。

兩個義項卻沒有什麼聯繫，新版分立條目。

（2）多義多字條目處理為同音形條目

新版將舊版的多義多字條目處理爲同音形條目，一方面是因爲多義條目的幾個意義之間沒有必然的聯繫，缺少的詞源上的關係；另一方面也是爲了加強多字同音形條目與單字同音形條目的對應性，即舊版將有些單字條目處理爲同音形條目，但是卻將由這些單字同音形條目構成的多字條目處理爲多義詞，有些不太恰當，新版予以修正，涉及 37 個條目。如：

【走時】

舊版：①鐘錶指標移動，指示時間。②〈方〉走運。有時也說走時運。（P1677）

新版：走時[1]：鐘錶指標移動，指示時間。走時[2]：〈方〉走運。有時也說走時運。（P1817）

【大略】

舊版：①大致的情況或內容。②大概；大致。③遠大的謀慮。（P234）

新版：大略[1]：①大致的情況或內容。②大概；大致。大略[2]：遠大的謀略。（P253）

舊版“走時”義項①表示“鐘錶指標移動”，而義項②涉及的是“時運”，表示運氣好，“走時”的兩個義項意思相差太遠，新版將其分立爲同音同形詞是合理的。舊版“大略”義項①②中的“略”的語素義來自“略[1]”，而義項③中“略”的語素義來“略[2]”表示謀略，由此看來，新版的分立條目的處理方式使多字同音形條目與單字同音形條目更加對應。

此外，新版還離析了舊版兩條沒有區分輕聲的條目，如：

【近乎】

舊版：jìn·hu①接近於。②〈方〉（～兒）關係親密。（P660）

新版：近乎 jìnhū 接近於。

近乎 jìn·hu〈方〉（～兒）關係親密。（P712）

“近乎”舊版義項①中“乎”的讀音應爲陰平，而不是輕音。新版予以區分，另一條如“開”。

2.條目合併引起的義項的合併

條目合併引起的義項的合併是指新版將舊版的同音形條目合併爲多義條目。據統計，舊版共有 210 組同音形條目被合併爲多義條目，分爲兩種情況，一種是舊版條目右肩標注阿拉伯字母的同音形條目被合併爲多義條目，共涉及 27 組；一種是舊版條目右肩沒有標注阿拉伯數字同音形條目被合併爲多義條目，共涉及 183 組。

（1）新版合併舊版條目右肩標注阿拉伯字母的同音形條目

新版合併舊版條目右肩標注阿拉伯字母的同音形條目，主要是因爲舊版的這些同音形條目之間有著明顯的語義聯繫，在詞源上也有著密切的關係，不應該被分立爲兩個不同的條目，新版將它們合併，處理爲多義詞，共涉及 27 組，其中單字條目的合併涉及 7 組，多字條目的合併設計 20 組。如：

【聽】

舊版：聽[1]：①用耳朵接受聲音②聽從（勸告）；接受（意見）。聽[2]：（舊讀 tìng）聽憑；任憑。（P1359）

新版：①用耳朵接受聲音。②聽從（勸告）；接受（意見）。③（舊讀 tìng）聽憑；任憑。（P1257）

【蟠桃】

舊版：蟠桃[1]：①桃的一種，果實扁圓形，果肉味甜。②這

種植物的果實。有的地區叫扁桃

蟠桃[2]：神話中的仙桃。（P949）

新版：①桃的一種，果實扁圓形，果肉味甜。②這種植物的果實。有的地區叫扁桃。③神話中的仙桃。（P1021）

【白頭翁】

舊版：白頭翁[1]：鳥，頭部的毛黑白相間，老鳥頭部的貓便呈白色，生活在山林中，吃樹木的果實，也吃害蟲。白頭翁[2]：多年生草本植物，花紫紅色，果實有白毛，像老翁的白髮，中醫入藥。（P26）

新版：白頭翁：①鳥，頭部的毛黑白相間，老鳥頭部的貓便呈白色，生活在山林中，吃樹木的果實，也吃害蟲。②多年生草本植物，花紫紅色，果實有白毛，像老翁的白髮，中醫入藥。（P27）

“聽”舊版“聽[1]”、“聽[2]”之間，明顯是有聯繫的，新版合併條目。“蟠桃”舊版兩詞目都表示一種水果，意義有關聯，新版予以合併。“白頭翁”舊版“白頭翁[2]”的命名理據來自“白頭翁[1]”，兩者顯然是有聯繫的。

（2）新版合併舊版條目右肩無標注阿拉伯字母的同音形條目

新版合併舊版條目右肩無標注阿拉伯字母的同音形條目，是新版調整條目分合的重點。右肩無阿拉伯字母的同音形條目因爲各有分立標準，所以不再把意義是否相關作爲條目分合的依據，因而涵蓋了多義關係和同音形關係。許多意義密切相關，但是僅是由於注音上有‖、起首字母大小以及音節分連這些標記，舊版就將其分立條目，是不合理的，也與《現漢》以詞爲綱的體例相違背。新版將舊版僅因注音形式不同就分立的條目合併在一個條目之下，處理爲多義詞，是《現漢》體例上的一大改進。此類條目合併，共涉及 183 組條目，分爲以下幾種情況：

a. 新版合併舊版因注音中有 ‖ 號而分立的條目

新版合併舊版因注音中有 ‖ 號而分立的條目，共計 173 組，是條目合併最多的情況。這些因離合用法而被分立的條目之間，往往有著明顯的語義、語法功能上的延伸關係。如：

【搖動】

舊版：搖動：yáo//dòng 搖東西使他動。

搖動：yáodòng①搖擺。②動搖。（P1462）

新版：①（-//-）搖東西使他動。②搖擺：③動搖。（P1583）

【落款】

舊版：落款：luò//kuǎn（～兒）在書畫、書信、禮品等上面題上款和下款。落款 luòkuǎn：在書畫、書信、禮品等上面題的上款和下款。（P838）

新版：①（-//-）（～兒）在書畫、書信、禮品等上面題上款和下款。②在書畫、書信、禮品等上面題的上款和下款。（P903）

"搖動"、"落款"舊版條目之間意義的關聯非常的明顯，僅因離合用法而被分離，是不合理的，新版予以合併。

b. 新版合併舊版因起首字母大小寫而分立的條目（2 組）

新版合併舊版因起首字母大小寫而分立的條目，共計 2 組。起首字母大寫的意義帶有專名屬性，與一般的意義也有延伸關係。如：

【劉海兒】

舊版：劉海兒 LiúHǎir：傳說中的仙童，前額垂著短髮，騎在蟾上，手裏舞著一串錢。劉海兒 liúHǎir：婦女或兒童垂在前額的整齊的短髮。（P809）

新版：①（Liǘ Hǎir）傳說中的仙童，前額垂著短髮，騎在蟾上，手裏舞著一串錢。②婦女或兒童垂在前額的整齊的短髮。（P872）

"劉海兒"從義項①"前額垂著短髮"和義項②"垂在前額的短髮"可以看出兩義項間確有明顯的聯繫，應該合併在一個條目之下。其他還如"

c. 新版合併舊版因音節分連而分立的條目（4 組）

新版合併舊版因音節分連而分立的條目，共計 4 組。如：

【心懷】

舊版：心懷 xīn huái：心中存有。

心懷 xīnhuái：①心意；心情②胸懷；胸襟。（P1398）

新版：xīnhuái①心中存有。②心意；心情③胸懷；胸襟。（P1512）

d. 新版合併可輕讀，兒化的條目（4 組）

新版合併可輕讀的條目即新版將舊版可輕讀間或重讀的條目合併到一個條目中，共涉及 3 條組條目。新版合併兒化的條目即新版將舊版中因兒化而分立的條目，合併到一個條目中，只有涉及 1 組。如：

【理事】

舊版：理事 lǐshì：處理事務；過問事情。

理事 lǐ·shì：代表團體行使職權並處理事情的人。（P774）

新版：lǐshì①處理事務；過問事情。②代表團體行使職權並處理事情的人。（P836）

【聽話】

舊版：聽話：聽從長輩或領導的話。

聽話兒：等候別人給回話。（P1257）

新版：①用耳朵接受別人的話音。②聽從長輩或領導的話；能順從長輩或領導的意志。③（～兒）等候別人給回話。（P1360）

“理事”表示“人”的時候，在讀音上“事”應該是去聲，不應該輕讀，新版修正舊版的讀音，並把兩個有意義聯繫的義項合併在一條義項之下。“聽話”新版將兒化音用括注標記，並且合併舊版有意義聯繫的義項。

3.義項的分立與合併小結

由條目的分立、合併引起義項的分立與合併，以條目合併爲主，共有 210 組條目被合併，以條目分立並爲輔，共有 50 個條目被分立。

條目的合併，特別是 183 組條目右肩無標注阿拉伯字母的多字同音形條目的合併，是新版《現漢》調整的重點，也是《現漢》體例上的進步。在新版之前《現漢》多字同音形條目的分立並不是全部以意義是否有聯繫爲標準，而是會受到詞語的凝固程度、結構、特殊含義等方面的影響，將有些多義詞離析爲兩個條目。新版以詞義之間的聯繫爲區分標準，對因注音中有無‖、起首字母大小寫及音節分連寫而分立的多字條目進行了全面調整，將意義有明顯聯繫的設爲多義詞，意義無明顯聯繫的設爲同音形詞，分立兩個條目。

條目的分立，是將舊版處理爲多義詞的條目分立義項。其中，主要是舊版多字條目的義項被分立爲兩個條目，涉及 37 個條目，這些條目的分立，一方面說明了義項之間沒有明顯聯繫，另一方面由於這些多字條目所汲取的語素義往往也是同音形單字條目，所以我們可以看出新版中多字條目與單字條目的對應性有所加強。

第三章　釋義表述修訂計量考察

詞語的釋義（詞典中即釋義表述）既是以語言解釋語言，就要利用語言中語詞的各種各樣的意義關係，使釋義詞語與被釋詞所代表的意義等值或近值。如果說詞義被表述出來之後，即存在於表述它的詞、短語、句子等語言單位之中，那麼我們則可以通過新舊版本同一義項釋義的對比研究，更加準確、完整地認識詞的一個意義的發展和變化。

本章的同一義項釋義對比研究只包括名詞性詞語、動詞性詞語、形容詞性詞語。傳統上，釋義模式分爲定義式、語詞式、說明描寫式等，如：茲古斯塔描述詞彙意義的基本手段有：詞典定義、在同義詞系統中所處的位置、舉例、注釋；[1]胡明揚等通過對《爾雅》、《新華詞典》的考察認爲釋義分爲對釋式（即同義語詞對釋、語詞交叉對釋、反義對釋、限制性同義對釋）和定義式（邏輯定義式和說明定義式）；[2]黃建華通過對《現漢》釋義的考察，將釋義模式分爲實質性釋義（即定義式、同義對釋、反義對釋）和關聯性釋義（即只釋前詞根或後詞根、前後詞根同釋以及撇開詞綴不釋）。[3]這些釋義模式雖然細緻深入，但都是從釋義整

1 茲古斯塔：《詞典學概論》，第 345 頁，商務印書館，1983。
2 胡明揚等：《詞典學概論》，第 132-136 頁，中國人民大學出版社，1982。
3 黃建華：《詞典論》，第 108-114 頁，上海辭書出版社，2001。

體入手，沒有與詞類聯繫並對釋語進行詳盡的切分。

符淮青先生認爲：“自然語言主要用擴展性詞語表述詞義……但表述各類詞詞義的擴展性詞語在形式和內容上有某種共性，其變化有一定的範圍和條件，存在某種規律性。可以以自然語言對詞義的解釋爲基礎，加以適當的調整和限制，結合必要的形式化去分析說明詞義。[4]按照這個觀點，他把表名物的詞、表動作行爲的詞、表性狀的詞的釋義加以公式化，提取它們各自的釋義模式，並認爲這三類詞不等於語法上所說的名詞、動詞、形容詞，但是包括了相當多的一部分。通過新舊版本釋義的對比分析，我們認爲，名詞性詞語、動詞性詞語、形容詞性詞語的釋義大致符合符先生的觀點。因此我們在分析釋義模式時，採用了他所提出的各類詞的釋義模式。

新版對舊版同一義項下釋義的修訂，細緻入微，全面透徹，涉及方方面面。本章節的前三節內容，主要圍繞名詞性詞語、動詞性詞語、形容詞性詞語的詞彙意義、語法意義的修訂展開討論，第四節內容重點分析這三大詞類括注的修訂，即包括語用資訊、感情色彩等內容的修訂。我們從增、刪、改的角度，重點描寫這三類詞語在其釋義模式內部的變化。增，即是新版對舊版釋義的適當豐化；刪，即是新版對舊版釋義的適當簡化；改即是新版對舊版釋義的適當置換，使被釋詞語與釋語左右兩項儘量等值。總之，“釋義時的一個任務就是要把捨棄的、空位的、隱性的主要語義特徵變爲顯性的語義特徵”[5]，新版在此方面，做的十分出色。

4 符淮青：《詞義的分析與描寫》，第 49 頁，語文出版社，1996。
5 張志毅 張慶雲：《詞彙語義學與詞典編纂》，第 353 頁，外語教學與研究出版社，2007。

由於《現漢》的修訂十分精細，十分複雜，我們對本章分析與計量的內容作幾點說明：（1）本章涉及的詞語包括詞、語素、以及片語。（2）本章節所涉及釋義的變化，不包括因爲條目身份的互換而引起釋義的變化。[6]（3）釋義中指示詞的變化，如“指”、“表示”等的增刪改，不納入計量分析。（4）釋義後“也叫xx”、“也說xx”、“也作xx”、“通稱xx”、“俗稱xx”等的變化不納入計量分析。（5）釋義中對於一些釋語位置的調整、使釋語更加通順的調整、以及意義完全相同只是詞形不同的釋語替換等[7]，不納入計量分析。這些修訂非常細緻，反映《現漢》嚴謹、精確的修訂工作，但是我們重點分析的是能夠反映被釋詞目語義、語法變化的釋義的修訂，所以這部分內容不具體討論。

一、名詞性詞語釋義的修訂

名詞性詞語釋義的修訂，包括定義式釋義、語詞式釋義、特殊類型、釋義模式、釋義結構等五方面的修訂，共涉及義項 3466 條。

---

6 因條目身份互換而引起釋義變化，如“微音器”與“傳聲器”是同義詞，指稱同一種事物，舊版“微音器”爲主條，釋義詳細，“傳聲器”爲副條，釋義簡略。新版中“傳聲器”爲主條，“微音器”爲副條，釋義詳略因此互換，但實際內容卻不變，只是條目身份不同。

7 釋語位置的調整，如：[白色污染]：舊版：……塑膠不易降解，影響環境的美觀，所含成分有潛在危害。新版：……塑膠不易降解, 所含成分有潛在危害,影響環境品質。“白色污染”的釋義中“所在成分有潛在危害”釋語位置有所變化，但我們認爲並沒有影響到被釋詞的語義、語法特徵的表達，所以對於此類釋語位置的變化不納入計量分析。意義完全相同的釋語替換，如：[獎章]：舊版：發給受獎人佩帶的徽章。新版：發給受獎人佩戴的徽章。“獎章”釋義中“佩戴”與“佩帶”詞義完全相同，只是詞形不同，這其實是詞形的變化，而不是釋義的變化，所以不予計量分析。

（一）定義式釋義的修訂

定義式釋義是語文詞典中較爲常用的釋義方式，常用來解釋名物詞，即動物、植物、礦物、器械、日用品的名稱，以及自然現象、社會現象等的名稱。它由表詞義範疇的類詞語和表區別性語義特徵的限制詞語組成，其標準邏輯運算式爲：“種=種差+類”，如：“礦產：地殼中有開採價值的物質”。“物質”爲類詞語，“地殼中有開採價值的”表示種差。種差與類組成體詞性偏正片語，類充當中心語，種差充當修飾語。定義式釋義還有一種表達方式，即類先出現，種差以分句或句子的形式出現，如：“鮭：魚，體側扁，銀灰色，有黑色小點，吻尖，口大。性喜寒冷，生活在溪流中”。“魚”爲類詞語，種差是類詞語之後的分句。當然，這兩種方式也可以交叉在一起組成定義式釋義。上兩例完全符合邏輯定義的要求，但是我們所討論的範圍不僅僅包括名物詞，而是《現漢》中所有的名詞、名詞性短語及語素，所以有些不那麼嚴格的釋義我們也視爲定義式釋義，如：“缺陷：欠缺或不夠完善的地方“。“缺陷”爲類詞語，“欠缺不或夠完善的”表示種差。

“在定義式的釋義中，按照詞語所指事物的類屬來釋義，然後指出該詞與同一類屬中其他所有事物之間的區別。越是精確，限定的成分越多，涵蓋面就越窄，即包容性越弱。因此，釋義的修訂其實就是根據語言使用的實際情況，在二者之間找到平衡點。”[8]據統計，新版對舊版定義式釋義的修訂，共涉及 2994 條

8 杜翔《現代漢語詞典》第五版的釋義改進[J].中文自學指導 2005/05。

義項，占名詞性詞語釋義修訂總量的 86.38%，其中最主要的是對種差的修訂，共涉及 2145 條義項；其次對種差和類的綜合修訂，共涉及 628 條義項；對類的修訂最少，只涉及 221 條義項。

1.類的修訂

"類詞語在定義式釋義中最重要的作用是指示被解釋的名物詞所表示事物現象的類別。"[9]定義式釋義首先要列出類詞語，然後才能列出表示種差的詞語。類詞語尋找的是否恰當，直接關係到釋義的正確性與準確性。新版對舊版類詞語的修訂，共涉及 221 條義項，占定義式釋義修訂總量的 7.38%。

（1）類詞語的增補

新版對舊版釋義中類詞語的增補共涉及 55 條義項，主要是爲了擴大釋義的指稱範圍和補充詞語典型的語義特徵。

a. 表示並列成分的類詞語的增補

新版增加的類詞語與舊版類詞語形成並列關係，在形式上一般以用"或"、"與"、頓號等來表示。表示並列成份的類詞語的增加主要爲了擴大釋義的指稱範圍，舊版一些釋義中類詞語不夠全面，使得釋義的指稱範圍偏窄，不能完整地反映詞義，新版對此進行了修訂，共涉及 26 條義項。如：

【牌匾】

舊版：掛在門楣上或牆上，題著字的木版。（P946）

新版：掛在門楣上或牆上，題著字的木版或金屬板。（P1018）

【禮俗】

舊版：泛稱婚喪祭祀交往等的禮節。（P772）

9 符淮青：《詞典學詞彙學語義學論集》，第 7 頁，商務印書館，2004 版。

新版：泛稱婚喪、祭祀、交往等的禮節與習俗。（P834）

【急件】

舊版：須要很快送到的緊急檔。（P591）

新版：須要很快送到的緊急文件、信件等。（P638）

例“牌匾”的類詞語，在新版中不僅包括“木板”還包括表示選擇關係的類詞語“金屬板”。例“禮俗”的類詞語不僅包括“禮節”，還包括與之有相加關係的類詞語“習俗”。例“急件”的類詞語不僅包括“檔”，還包括“信件”，並且新版加上“等”表示“急件”的種類繁多。

b. 按照語序排列的類詞語的增補

按照語序排列的類詞語共涉及 29 條義項，分爲以下兩種情況：

一種是，新版增補的類詞語與舊版的類詞語，二者之間不是並列關係，在形式上按照語序排列。這種類詞語增補主要是爲了增加被釋詞典型的語義特徵，即從不同的角度不同的層次選擇新的類詞語，共涉及 10 條義項。如：

【兀鷲】

舊版：鳥，身體高大，頭部較小，嘴部有鉤……生活在高原山麓地區，主要吃死屍。（P1337）

新版：鳥，身體高大，頭部較小，嘴部有鉤……生活在高原山麓地區，是猛禽，主要吃死屍。（P1447）

“兀鷲”除了類詞語“鳥”之外，新版還增補了類詞語“猛禽”來突出被釋詞的典型特徵。

一種是，舊版沒有類詞語，新版補充類詞語。這種類詞語增加的情況只涉及表示地名、水名的專名義項，共計 19 條。如：

【涪】

舊版：涪江，發源於四川，流至重慶入嘉陵江。（P388）

新版：涪江，水名，發源於四川，流至重慶入嘉陵江。（P421）

【莒】

舊版：莒縣，在山東。（P682）

新版：①莒縣，地名，在山東。（P737）

“涪”、“莒”舊版釋義中均沒有列出類詞語，新版以“水名”、“地名”補充。

（2）**類詞語的刪減**

舊版有少數釋義中的類詞語使釋義的指稱範圍較寬或在釋義中顯得多餘，新版予以刪減，共計 10 條。如：

a. 表示並列成分的類詞語的刪減

表示並列成份的類詞語的刪減，主要是舊版釋義範圍有些寬泛，超出了詞義所指稱的範圍，所以新版予以修訂，共涉及 5 條義項。

【頌歌】

舊版：用於祝頌的詩歌、歌曲。（P1201）

新版：用於祝頌的詩歌。（P1298）

【機關報】

舊版：國家機關、政黨或群眾組織出版的報紙和刊物。（P581）

新版：國家機關、政黨或群眾組織出版的報紙。（P627）

例“頌歌”一般僅指詩歌，所以新版刪減類詞語“歌曲”。例“機關報”新版的類詞語“報紙”是最靠近被定義概念的一級，而“刊物”範圍有些寬泛，所以新版予以刪減。

b. 按照語序排列的類詞語的刪減

按照語序排列的類詞語的刪減，主要是由於舊版有部分類詞語不能突出典型的語義特徵，所以新版予以刪減，共涉及 5 條義項。

【牛虻】

舊版：昆蟲，虻的一種。（P933）

新版：虻的一種。（P1003）

【黃鼬】

舊版：哺乳動物，身體細長，四肢短……是一種皮毛獸，尾毛可制毛筆。（P556）

新版：哺乳動物，身體細長，四肢短……尾毛可制毛筆。（P602）

例“牛氓”的類詞語“昆蟲”範圍過寬，所以新版予以刪減。例“黃鼬”的類詞語“皮毛獸”不符合當今時代提倡保護動物的形勢，不是典型的語義特徵，新版予以刪減。

（3）類詞語的置換

新版對舊版類詞語的置換共涉及 156 條義項，在類詞語修訂中表現最爲突出，包括類詞語範圍的變化、內容的變化，以及特殊類詞語的變化。

a. 表示範圍的變化

類詞語指稱範圍的寬和窄，關係到釋義是否能夠準確的反映詞義，新版對舊版類詞語範圍的修訂，共計 59 條，主要有兩種情況：

一種是舊版類詞語指稱範圍有些寬，新版以替換指稱範圍窄的類詞語，共計 33 條。如：

【詞人】

舊版：①擅長填詞的人。（P205）

新版：擅長填詞的作家。（P222）

【書坊】

舊版：舊時印刷並售書籍的地方。（P1168）

新版：舊時印刷並售書籍的店鋪。（P1262）

例“詞人”、“書坊”的類詞語“人”和“地方”指稱範圍都偏寬，釋義不準確，新版替換指稱範圍較小的類詞語。

一種是舊版類詞語指稱範圍有些窄，新版以替換指稱範圍寬的類詞語，共計 26 條。如：

【兵亂】

舊版：由戰爭造成的騷擾和災害；兵災。（P90）

新版：由戰爭造成的混亂局面；兵災。（P97）

【車】

舊版：②利用輪軸旋轉的工具。（P149）

新版：②利用輪軸旋轉的機具。（P162）

例“兵亂”的類詞語不僅包括“騷擾和災害”，而是包括它們在類的一切“混亂局面”。例“車”新版的類詞語“機具”不僅包括“工具”也包括“機械”。

b. 表示內容的變化

◆ 一般類詞語的變化

舊版一些釋義中的類詞語，在內容上表述的不夠準確、規範，新版對此予以修訂，更加準確的反映詞義，共計 64 條。如：

【直覺】

舊版：未經充分邏輯推理的直觀。（P1615）

新版：未經充分邏輯推理的感性認識。（P1748）

【原告】

舊版：向法院提出訴訟的人或機關、團體。也叫原告人。（P1548）

新版：向法院提起訴訟的公民、法人或其他組織及行政機關。（P1674）

例“直覺”新版的類詞語“感性認識”，顯然比舊版的“直觀”表述的更爲規範。“原告”新版的類詞語比之舊版的更加準確，表述上也更加嚴謹。

◆ 特殊類詞語的變化

有些定義式釋義中的類詞語比較特殊，是指明表名物詞各種性質的名稱的身份，如俗稱、舊稱、總稱、合稱、統稱等。新版對特殊類詞語的修訂共涉及 33 條義項，主要是對舊版中不準確的表身份的類詞語的置換。如：

【報館】

舊版：報社的俗稱。（P47）

新版：報社的舊稱。（P50）

【報刊】

舊版：報紙和雜誌的總稱。（P47）

新版：報紙和刊物的合稱。（P51）

例“報館”新版以“舊稱”替換“俗稱”表示“報館”有舊時代的屬性。例“報刊”中“總稱”往往表示一系列多種事物的總的名稱，“合稱”往往表示兩、三類事物的名稱，這裏“報刊”的類詞語用“合稱”較爲合適。

“類”計量統計結果見表 3.1。

表 3.1

類 修 訂	增加		刪減		置換	
義項數（條）	55		10		156	
	並列成分 26	語序排列 29	並列成分 5	語序排列 5	範圍變化 59	內容變化 97
百分比 %	24.89		4．52		70.59	
例　　詞	禮俗、兀鷲		頌歌、牛虻		詞人、原告	

定義式釋義中類詞語的修訂共涉及義項 221 條，占定義式釋義修訂的 7.38%。從修訂方式上來說，類詞語的修訂以“置換”爲主，占類詞語修訂的 70.59%；其次爲類詞語的增補占 24.89%；類詞語的刪減最少，只占 4.52%。從類詞語修訂的內容上說，類詞語置換主要使釋義在範圍和內容上更加準確；類詞語的增加，主要以語序排列成分的增補爲主，並列成分的增補爲輔，以此來擴大釋義的指稱範圍和補充典型的語義特徵；類詞語的刪減最少，主要是刪減不恰當的類詞語。

2.種差的修訂

類的適用範圍一般大於被釋詞的範圍，經過種差限定組成的定義式釋義，其適用範圍才與被釋詞目基本一致。在內容上，種差有表形貌的、表習性的、表領屬的、表功用的、表結構的、表性質的等不同類別。有時，定義式釋義後，還會添上與被釋詞相關的資訊，如分類列舉、歷史溯源、前景介紹等等，我們稱之爲知識附加資訊，並將其看做種差的增量，也歸入種差討論。種差如此多種多樣，不同的詞語，種差又是千差萬別，所以釋義中選取既具區別性又具代表性的種差，就顯的尤爲重要。據我們統計，種差是定義式釋義中修訂的主要部分，共涉及 2145 條義項，占定義式釋義修訂總量的 71.64%。

（1）**種差的增補**

種差的增補，即新版對舊版表示種差的內容進行增補，共涉及 712 條義項。

a. 表示並列成分種差的增補

新版增補的種差與舊版的種差爲並列關係，在形式上，此類增補的種差一般用“或”、“和”、頓號以及“也+分句”等來表示；在內容上，此類增補的種差與原種差一般屬於同種類別。據統計，表示並列成分種差的增補共涉及 227 條義項，分爲以下三種情況：

◆ 新版增補種差，擴大釋義的指稱範圍

表示並列成分種差的增補，大部分是由舊版的某種類別的種差不夠全面，只能反映詞義的一部分特徵，新版補充同類別的種差，以此擴大釋義的指稱範圍，共涉及 156 條義項。如：

【標題新聞】

舊版：以標題形式刊登在報紙上的新聞，內容簡要，字型大小較大。（P1691）

新版：以標題形式刊登在報紙、網頁上的新聞，內容簡要，字型大小較大。（P88）

【華南】

舊版：指我國南部地區，包括廣東、廣西、海南。（P541）

新版：指我國南部地區，包括廣東、廣西、海南和香港、澳門。（P585）

【盉】

舊版：古代溫酒的器具，形狀像壺，有三條腿的。（P512）

新版：古代溫酒的器具，形狀像壺，有三條腿的。也有四條

腿的。（P554）

隨著時代的發展，許多事物的性質內容也發生著變化，如“標題新聞”不僅僅指刊登在報紙上的新聞，也指網頁上的新聞。隨著香港、澳門的回歸，我國的華南第地區的範圍也隨之擴大。人們對事物認識的加深，反映在詞義中，即是對詞義概括的更加全面，如“盉”釋義中“也有四條腿的”種差的增加。

◆　新版增補種差，縮小釋義的指稱範圍

表示並列成分種差的增補，也有一部分是由於原種差限制修飾作用不到位，新版增加同種類別的種差，以此縮小釋義的指稱範圍，共涉及 14 條義項。如：

【金飯碗】

舊版：比喻待遇非常優厚的職位。（P654）

新版：比喻穩定而待遇非常優厚的職位。（P706）

【瘦子】

舊版：肌肉不豐滿的人。（P1167）

新版：肌肉不豐滿、脂肪少的人。（P1261）

例“金飯碗”釋義中，種差不僅包含“優厚”，還必須包含“穩定”。“瘦子”舊版的限制作用也不強，新版增加“脂肪少”才使釋義更加準確、到位。

◆　原釋語較爲完整，新版增補典型的語義特徵

舊版一些釋義是採取列舉的方式來展示詞義所包含的內容，這些被列舉的事物往往種類繁多，是難以列舉周全的，所以釋義中常含有“等”字表示不可盡數，或以“如……”表示部分舉例。新版在此基礎上增補了表示列舉的新內容，來呈現詞義包含的更爲典型的，更符合時代發展的特徵，共涉及 57 條義項。如：

【鍵盤】

舊版：鋼琴、風琴、打字機等上面安著很多鍵的部分。（P624）

新版：鋼琴、風琴、電腦、打字機等上面安著很多鍵的部分。（P674）

【電器】

舊版：②指家用電器，如電視機、答錄機、電冰箱、洗衣機等。（P284）

新版：②指家用電器，如電視機、答錄機、電冰箱、洗衣機、空調等。（P300）

事物的不斷更新發展，科技的發展，時代的進步，使得諸如電腦、空調等產品走入平常百姓生活，越來越多的得到人們的關注與依賴，在詞典中也反映了這一特徵，“鍵盤”的意義擴大到“電腦”領域，“電器”的釋義中也將“空調”納入到其列舉的內容裏。

b. 表示按照語序排列成分的種差的增加

舊版釋義中沒有種差或新增補的種差與原種差二者之間不是並列關係，在形式上按照語序排列，我們稱爲按照語序排列成分的種差的增加。在內容上，此類增加的種差一般與原種差的所屬類別不同。據統計，表示按照語序排列成分種差的增補共涉及 465 條義項，分爲以下兩種情況：

◆ 新版增補種差，縮小釋義的指稱範圍

新增補的種差縮小了釋義的指稱範圍涉及 118 條義項，分爲以下兩種情況：

一種是，舊版有少部分定義式釋義中，只有類詞語，而沒有表示種差的詞語，釋義所指稱的事物範圍太寬泛，新版補充表示種差的詞語，共涉及義項 15 條。如：

【老媽子】

舊版：指女僕。也叫老媽兒。（P759）

新版：舊時指年齡較大的女僕。也叫老媽兒。（P819）

【水粉】①

舊版：一種化妝品。（P1182）

新版：一種化妝品，用甘油和搽臉粉調製而成。（P1278）

例“老媽子”、“水粉”舊版均沒有種差，只有類詞語，新版分別增加種差予以限制。

一種是舊版有些釋義的指稱範圍過於寬泛，即種差對類的限制力比較弱，新版主要採取增加不同類別的種差對類進行多層限制，以此縮小釋義的指稱範圍，使釋義更加準確，共涉及義項 103 條。其中，新版補充“舊時”、“舊指”等表示時間的種差最爲突出。如：

【鏢局】

舊版：保鏢的營業機構。（P83）

新版：舊時保鏢的營業機構。（P90）

【實況】

舊版：實際情況。（P1145）

新版：現場的實際情況。（P1237）

例“鏢局”增加表“舊”的時間種差，以此限制詞語的時代屬性。“實況”不僅僅指“實際情況”，還需“現場”這一空間上的語義特點。

◆　原釋語較爲完整，新版增補較爲典型的語義特徵

舊版的許多釋義是比較完善的，釋義的指稱範圍也比較準

確，不會讓人產生歧義。但是，種差多種多樣，特別在一些專科詞語的釋義中，種差更是豐富。有些舊版釋義缺少詞義中包含的典型的語義特徵，有些由於時代的發展、人們觀念的改變，使得詞義有了新的發展，所以新版精益求精增補了能夠表示典型語義特徵的種差，共涉及義項 347 條。此類種差的增補，在形式上以增補分句最爲突出，以語詞形式爲輔。

新版以分句的形式增補表示形貌、功用等的種差，以及知識附加資訊如分類列舉、評價、命名理據等，來突出被釋詞語的典型語義特徵。

表形貌的如：

【沙丘】

舊版：沙漠、河岸、海濱等地由風吹而堆成的沙堆。（P1094）

新版：沙漠、河岸、海濱等地由風吹而堆成的沙堆，多呈丘狀、壟狀或新月狀。（P1181）

表性質的如：

【霾】

舊版：空氣中因懸浮著大量的煙、塵等微粒而形成的渾濁現象。通稱陰霾。（P846）

新版：空氣中因懸浮著大量的煙、塵等微粒而形成的渾濁現象，能見度小於 10 千米。通稱陰霾。（P911）

表作用的如：

【橋墩】

舊版：橋樑下麵的墩子，用石頭或混凝土等做成。（P1020）

新版：橋樑下面的墩子，起承重作用，用石頭或混凝土等做成。（P1099）

表分類列舉的如：

【人權】

舊版：指人享有的人身自由和各種民主權利：（P1064）

新版：指人享有的人身自由和各種民主權利。包括任何群眾的生存權、人身權、政治權以及在經濟、文化、社會各方面享有的民主權利。（P1146）

表評價的如：

【童工】

舊版：雇用的未成年的工人。（P1266）

新版：雇用的未成年的工人。在我國雇用童工是違法的。（P1369）

表命名理據的如：

【鴟吻】

舊版：中式房屋屋脊兩端的陶制的裝飾物。（P166）

新版：中式房屋屋脊兩端的陶制的裝飾物，最初的形狀略像鴟的尾巴，後來演變爲向上張口的樣子，所以叫鴟吻。（P181）

新增補的種差以語詞的形式對釋義的個別地方進行完善，以此突出詞語的典型的語義特徵，完善釋義。如：

【證言】

舊版：證人就所知道的與案件有關的事實、情節所作的陳述。（P1608）

新版：證人依法就所知道的與案件有關的事實、情節所作的陳述。（P1741）

例“證言”增加種差“依法”，使釋義更加嚴謹、完整。

除以表示並列的種差和按照語序排列的種差的增加之外，種差的增加，還包括這兩種成份的綜合，共涉及 20 條義項，如：

【象牙】

舊版：象的門牙，略呈圓錐形，伸出口外。質地堅硬、細緻，可制工藝品。（P1378）

新版：象的門牙，略呈圓錐形，伸出口外。質地堅硬、潔白、細緻，可制工藝品。現國際上已禁止象牙貿易。（P1491）

例“象牙”新版不僅增加了表示並列成分的種差“潔白”，還增補了知識附加資訊即種差的增量“現國際上已禁止象牙貿易”，釋義不僅符合被釋詞的語義特徵，也切合時代的發展。

（2）種差的刪減

種差的刪減即新版對舊版表示種差的內容進行刪減，共涉及 342 條義項。

a. 表示並列成分種差的刪減

表示並列成分種差的刪減共涉及 43 條義項，主要是新版對釋義中多餘的、種差的刪減，分爲以下兩種情況：

◆ 新版刪減種差，縮小釋義的指稱範圍

舊版有些釋義中的種差指稱範圍有些寬泛，新版刪減部分種差，縮小釋義的指稱範圍，共涉及 21 條義項。如：

【被害人】

舊版：指刑事、民事案件中受犯罪行爲侵害的人。（P57）

新版：指刑事案件中受犯罪行爲侵害的人。（P60）

【編磬】

舊版：古代打擊樂器，在木架上懸掛一組音調高低不同的石制或玉制的磬。（P75）

新版：古代打擊樂器，在木架上懸掛一組音調高低不同的石

制的磬。（P80）

例“被害人”只用于刑事案件中的物件，而不包括民事案件中的物件，所以新版予以刪減。例“編磬”一般由石頭製成，所以新版刪減種差來縮小釋義的指稱範圍。

◆　新版刪除不典型的語義特徵

舊版釋義中一些列舉的內容，不具備典型的語義特徵，不符合客觀事物發展的進程，或者已經不符合人們現在的觀念，新版予以刪減，共涉及 22 條義項。如：

【摺扇】

舊版：（～兒）用竹、木、象牙等做骨架，上面蒙上紙或絹而製成的可以折疊的扇子。（P1594）

新版：（～兒）用竹、木等做骨架，上面蒙上紙或絹而製成的可以折疊的扇子。（P1725）

【外來語】

舊版：從別的語言吸收來的詞語。如漢語裏從俄語吸收來的‘布拉吉’，從法語吸收來的‘沙龍’，從英語吸收來的‘馬達、沙發’。（P1294）

新版：從別的語言吸收來的詞語。如漢語裏從英語吸收來的‘馬達、沙發’，從法語吸收來的‘沙龍’。（P1399）

例“摺扇”舊版中表示製作原料的種差“象牙”，違背了保護珍稀動物的方針，不具時代性，新版予以刪減。例“外來語”舊版的列舉成分中“如漢語裏從俄語吸收來的‘布拉吉’不典型，新版予以刪除。

b. 按照語序排列成分的種差的刪減

按照語序排列成分的種差的刪減共涉及 294 條，是種差刪減的主體，分爲以下兩種情況：

◆ 新版刪減種差，擴大釋義的指稱範圍。

舊版有部分釋義的種差，限制成分過多，使得釋義的指稱範圍偏窄。新版刪減部分種差，擴大釋義的指稱範圍，共計 49 條。其中，新版刪減表“舊”的時間種差，較爲突出。如：

【長官】

舊版：舊時指行政單位或軍隊的高級官吏。（P1586）

新版：指行政單位或軍隊的高級官吏。（P1717）

【玩具】

舊版：專供兒童玩兒的東西。（P1297）

新版：專供玩兒的東西。（P1402）

例“長官”中,新版刪除表“舊”的時間種差,表示“長官”不僅僅在舊時代指稱高級官吏,在當今時代也有相同的意思,“長官”的指稱範圍擴大。例“玩具”並不是專供兒童玩的東西，不同年齡層次的人也能有各自的玩具，所以，新版刪減種差，擴大“玩具”的指稱範圍。

◆ 新版刪減不具備典型語義特徵的種差

舊版有些釋義中，種差列舉冗長、多餘或不夠典型，新版予以刪減，共涉及 245 條，此類種差的增補，在形式上以刪減分句最爲突出，以其他形式爲輔。

新版以刪減分句的形式剔除不具備典型語義特徵的種差，多是對表功用、表形貌以及表分類列舉的種差的刪減。特別是表功用的種差刪減，有一個顯著的特點，即刪去了許多珍稀動物身體某部分能爲人所謀利的功用，這是時代的發展在詞典中的反映。如：

【犀角】

舊版：犀牛的角，由角質纖維組成，很堅硬，可入藥，也用做圖章或其他器物的材料。（P1346）

新版：犀牛的角，由角質纖維組成，很堅硬。（P1456）

【玄狐】

舊版：狐的一種，毛深黑色，長毛的尖端白色。產在北美。毛皮珍貴。也叫銀狐。（P1425）

新版：狐的一種，毛深黑色，長毛的尖端白色。產在北美。也叫銀狐。（P1542）

“犀角”中刪去了它作爲藥用和工用的種差，“玄狐”刪去了“皮毛珍貴”的種差，均是時代發展的表現。

新版以刪減語詞的形式剔除了一些多餘的種差使得釋義更加準確、簡潔。如：

【巨流】

舊版：巨大的水流，比喻巨大的時代潮流。（P683）

新版：巨大的水流，比喻時代潮流。（P739）

“巨流”比喻義中“時代潮流”本就含有巨大的意思，不需要表評價的種差“巨大”，新版予以刪除。

此外還有 5 條義項涉及並列成分和語序排列成份的綜合刪減，如：

【火車】

舊版：一種重要的交通運輸工具，由機車牽引若干節車廂或車皮在鐵路上行駛。（P573）

新版：一種交通運輸工具，由機車牽引若干節車廂在鐵路上行駛。（P619）

例“火車”新版刪減表評價的種差“重要”，再刪減表並列成分的種差“車皮”，使得釋義更加準確。

（3）種差的置換

種差的置換，即先刪減舊的種差，然後再增補新的種差。新種差較舊種差在範圍、內容上都更爲準確、恰當。同時，新種差對舊種差的置換必須是一一對應的，即新舊種差類別相同，或者舊種差的刪減與不同類別的新種差增加之間有因果聯繫，我們才視爲種差的置換。種差的置換共涉及 473 條義項，主要是置換釋義釋義中不恰當、不準確、不典型的內容。

a. 表示種差範圍的變化

舊版有些釋義的指稱範圍偏寬或偏窄，新版置換舊版種差予以調整。共涉及 39 條義項，分爲以下兩種情況。

一種是新版置換舊種差，擴大釋義的指稱範圍，共涉及 24 條義項。

【眼影】

舊版：婦女塗在眼皮上的一種裝飾，有藍色、淡褐色、粉紅色等。（P1450）

新版：女子塗在眼皮上的一種裝飾，有藍色、淡褐色、粉紅色等。（P1570）

“眼影”的使用主體，不僅僅包括婦女，一些年輕的女孩，也可以使用，舊版釋義範圍偏窄。所以新版予以修正。

另一種是新版置換舊版種差，縮小釋義的指稱範圍，共涉及 15 條義項。

【能人】

舊版：指在某方面有才能的人。（P922）

新版：指在某方面才能出眾的人。（P990）

"能人"不僅指有才能的人，這種才能還必須是出眾的，舊版釋義範圍較寬，新版予以縮小。

b. 表示種差內容的變化

舊版有部分種差在內容上需要調整才能更好的反映詞義所包含的內容，新版予以修訂，共涉及 434 條義項，分爲以下兩種情況：

◆　同類種差之間的置換

同類種差之間的置換即新種差與舊種差都指稱事物同一方面的特徵，但是新版的種差表述的更爲恰當、準確、典型。這種類型的修訂，在種差置換中最爲突出，共涉及 394 條義項。

【賭棍】

舊版：指精於賭博並以此爲生的人。（P311）

新版：指賭博成性並以此爲生的人。（P337）

【極量】

舊版：①醫學上指在一定時間內，病人服藥或注射藥水量最大限度的劑量。（P589）

新版：①醫學上指在一定時間內，允許病人使用藥物的最大劑量。（P636）

【股東】

舊版：股份公司的股票持有人，有權出席股東大會並有表決權。也指其他合夥經行營的工商企業的投資人。（P451）

新版：股份公司的股票持有人，有權分享公司收益並對公司債務負責。也指其他合夥經行營的工商企業的投資人。（P489）

"賭棍"含有貶義，舊版的釋義顯然沒有將詞語的色彩體現出來，新版置換更加恰當的種差。“極量”舊版釋義中的種差“最大限度”表述模糊、新版置換更加科學、更加規範的是釋語，使釋義更嚴謹。“股東”舊版釋義中選取的種差“有權出席股東大會並有表決權”不夠典型，新版在同類種差的基礎上重新選擇更能反映詞義主要特徵的種差，即“有權分享公司收益並對公司債務負責”。

◆ 不同類種差之間的替換

不同種類種差的置換，是指舊版釋義中的種差不能夠突出詞義的主要語義特徵，新版從不同的釋義角度，選取與舊版不同類別的，更具有典型語義特徵的種差，共涉及 40 條義項。如：

【鱗介】

舊版：水中動物的統稱。（P801）

新版：有鱗和甲殼的水生動物的統稱。（P864）

【碩士】

舊版：學位的一級。大學畢業生在研究機關或高等學校學習一二年以上，成績合格者，即可授予。（P1191）

新版：學位的一級。高於學士，低於博士。（P1287）

例“鱗介”舊版的種差表空間，而新版的種差表形貌和性質。例“碩士”舊版的種差表取得碩士的資格，新版是對碩士學歷的評價。上兩例新舊版種差截然不同，新版的更加準確、典型。

（4）種差的綜合調整

舊版有部分詞語釋義，需要通過增、刪、置換幾種方法的互相配合來修正釋義中指稱範圍過寬、過窄、種差不恰當或不典型等問題，才能將詞義表達的更爲準確，這也是詞義深化的表現之一。種差的綜合調整共涉及義項 174 條，其中大多用於專科性詞語的釋義修訂，特別是動植物詞語釋義修訂最爲突出，另外，指稱一般的事物現象名稱的釋義，種差簡單明確，綜合調整的情況較少。如：

【雪豹】

舊版：豹的一種，尾巴長，毛淡青而發灰色，全身有不規則的黑斑。生活在寒冷地區的高山中。（P1430）

新版：豹的一種，毛長而密，全身灰白色，有黑色斑點和環紋，尾大。生活在高山岩石多的地區，行動敏捷，善於跳躍，吃野羊、麝、雪兔、鳥類、鼠類等。也叫艾葉豹。（P1548）

【天麻】

舊版：多年生草本植物，地下莖肉質，地上莖杏紅色，葉子呈鱗片狀，花黃紅色。塊莖可入藥。（P1244）

新版：多年生草本植物，沒有葉綠素，塊莖肉質，葉子鱗片狀，花黃紅色。塊莖、莖葉、果實可入藥。（P1346）

隨著人們對“雪豹”、“天麻”認識的不斷加深，反映在詞典中即是對它們形貌、習性等特徵的恰當的、準確的、周全的概括，這使得詞義得到了深化。

種差修訂計量統計結果見表 3.2。

表 3.2

種差修訂	增補			刪減			置換		綜合調整
義項數（條）	712			342			473		618
	並列成分 227	語序排列 465	並列+語序 20	並列成分 43	語序排列 294	並列+語序 5	範圍變化 39	內容變化 434	
百分比	33.19			15.94			22.05		28.82
例詞	金飯碗、實況			長官、玄狐			碩士、鱗介		天麻

定義式釋義中，種差的修訂顯然占主體，共涉及 2145 條義項，占定義式釋義修訂的 71.64%。從修訂形式上看，種差的增補最多，占種差修訂的 39.19%；其次爲種差的綜合調整，占 28.82%；排在第三位的是種差的置換，占 22.05%；種差的刪減最少，占 15.94%。從修訂內容上來看，種差的增補主要是增加按照語序排列成分爲主，以增加並列成分爲輔；種差的刪減也是主要刪減按照語序排列成分，並列成分的刪減只占一小部分；種差的置換主要是種差性質內容的置換，釋義範圍上的調整較少；種差綜合調整的詞語大都爲百科性詞語，種差類別較多，修訂的地方也自然較多。種差的增加、刪減、置換以及綜合調整最主要的是呈現詞義更爲典型的特徵，其次是使釋義指稱的範圍更爲恰當，釋義內容更加準確，更切合詞義本來的面貌。

3.類與種差的綜合修訂

類與種差的綜合修訂，即新版對舊版釋義中類與種差都進行了一定的修訂，包括釋義中語段的增刪改、類與種差的局部修訂、類與種差的全面修訂三種類型，共涉及 628 條義項，占定義式釋義修訂總量的 20.98%。

（1）釋義中語段的增、刪

有些詞語含有兩層或兩層以上的意義，其釋義是由兩個或兩個以上緊密聯繫且相對獨立的語段組成，每個語段都由類與種差構成，各語段之間一般以“或”、分號爲間隔。[10]新版對舊版釋義中語段的修訂共涉及 33 條義項，包括語段的增、刪。

10 這裏要說明的是一些釋義中的含有的比喻義、泛指義、特指義等也是語段，但是由於它們含有特殊的指示詞，所以我們將它們的增刪歸入“特殊類型修訂”中討論。

【僞書】

舊版：作者姓名或著作時代不可靠的書。（P1311）

新版：作者姓名或著作時代不可靠的書；假託古人名義著的書。（P1418）

【穀底】

舊版：比喻下降到的最低點；升降中的最低限度。（P450）

新版：比喻下降到的最低點。（P488）

例“僞書”增加的語段，與固有的語段密切相關，但又有一定區別，與固有語段相比，在內涵上均發生了變化。例“穀底”的比喻義較爲常用，其另一方面的意義“升降中的最低限度”不再是普遍意義，所以新版予以刪除。

（2）類與種差的局部修訂

定義式釋義中語段的增刪改變化很少，較多的是類與種差的局部修訂即新版對舊版釋義中類和種差都做了局部的調整，共涉及 345 條義項。類與種差的局部修訂中，專科性詞語釋義占大多數，專科性詞語種差和類都相對複雜，所義涉及釋義修訂的也較多。分爲以下兩種情況：

一種是類的調整與種差的調整之間有直接的聯繫，即類改變種差也跟著改變或種差與類相互轉變。如：

【巨頭】

舊版：政治、經濟界等有較大勢力的頭目。（P683）

新版：政治、經濟界等有較大勢力能左右局勢的人。（P739）

【考生】

舊版：報名參加學校考試的學生。（P709）

新版：報名並參加招生、招工、招幹等考試的人。（P766）

【莜麥】

舊版：一年生草本植物，和燕麥極相似，但小穗的花數較多，種子脫離後容易與外殼脫離。生長期短，子實可磨成麵食供食用。（P1524）

新版：一年生草本植物，是燕麥的一個品種，但小穗的花數較多，種子脫離後容易與外殼脫離。生長期短，子實可磨成麵食供食用。（P1649）

例“巨頭”的類詞語“頭目”，從邏輯學的角度來看是最靠近被定義概念的一級，但是詞典釋義還需要遵循另一原則即避免以難釋易，所以新版將其調整爲“能左右局勢的人”，而且“頭目”一般含貶義，“巨頭”則沒有此色彩義，新版的釋語更加準確具體。例“考生”新版將類詞語的範圍擴大，即不僅僅局限于學生，種差的範圍也隨之擴大。例“莜麥”，舊版的釋義中種差的表述“和燕麥極相似”並不科學，莜麥應是燕麥的一個品種，所以“燕麥”在新版釋義中作爲類詞語出現。

一種是類的調整與種差的調整之間沒有明顯的、直接的聯繫，即類和種差各自發生變化，這類調整多發生在專科性詞語釋義中，如：

【鷹】

舊版：鳥類的一科，一般指鷹屬的鳥類，上嘴呈鉤形，頸短，腳部有長毛，足趾有長而銳利的爪。性兇猛，捕食小獸及其他鳥類。（P1510）

新版：鳥，上嘴呈鉤形，頸短，腳部有長毛，足趾有長而銳利的爪。是猛獸，捕食小獸及其他鳥類。種類很多，如蒼鷹、雀鷹、老鷹等。（P1633）

“鷹”新版中類的增加“猛禽”，與種差的增加“種類很多，如蒼鷹、雀鷹、老鷹等”沒有明顯的聯繫。兩種成分均在各自範圍內調整，使釋義更加完整、準確。

（3）定義式釋義內部種差與類的特殊變化

有部分定義釋義中類詞語表示名詞的各種身份，而種差爲名物詞所指示的事物、內容。在新版對舊版的修訂中，此類釋義與一般定義式釋義有互相轉變的情況，共涉及 111 條義項，我們稱爲種差與類的特殊變化。如：

【地貌】

舊版：地球表面的形態。（P273）

新版：地球表面各種形態的總稱。（P297）

【經濟學】

舊版：①研究國民經濟各方面問題的學科的總稱。包括政治經濟學、部門經濟學、會計學、統計學等。（P664）

新版：①研究國民經濟各方面問題的學科。包括理論經濟學、部門經濟學、應用經濟學。（P718）

【浮吊】

舊版：能在水上移動，進行起重作業的船。也叫起重船。（P387）

新版：起重船的通稱。（P420）

“地貌”舊版表示一種形態，而新版則表示這種形態的總稱。“經濟學”舊版表示一系列學科的總稱，而新版就表示一類學科。“浮吊”新版釋義表明了“浮吊”爲“起重船”通稱的身份，與舊版釋義有所區別。

（4）類與種差的全面修訂

舊版有部分詞語的釋義或釋義中某相對獨立的語段[11]，通過局部修正無法解決問題，新版對此進行了全面的改換。這裏類與種差的全面改換只是針對釋義表述層面而言的，即新舊兩版的釋義有聯繫，只是表述上完全不同，導致詞義在外延、內涵上有所差別。如果新舊兩版釋義沒有明顯聯繫，詞義完全不同，我們將其歸入義項的增刪處理。類與種差的全面改變共涉及義項 139 條。如：

【兵家】

舊版：①古代指軍事家。（P90）

新版：①（Bīngjiā）古代研究軍事理論、從事軍事活動的學派。主要代表人物有孫武、孫臏等。（P97）

【零】⑥

舊版：溫度計上的零度。（P805）

新版：某些量度的計算起點。（P868）

【存項】

舊版：儲存或餘存的款項。（P218）

新版：〈口〉富餘的錢。（P236）

【金甌】

舊版：金屬的杯子，比喻完整的疆土，泛指國土。（P655）

新版：〈書〉黃金做的盆類器皿，比喻完整的疆土，泛指國土。（P707）

例“兵家”新舊兩版釋義表述完全不同，詞義在內涵、外延

11 語段中類與種差的置換，我們也歸入種差與類的全面修訂中討論，其中也包括比喻義、泛指義、特指義等語段的變化。

上都有差別，舊版表示人，新版表示理論與學派。例“零”⑥的指稱範圍發生變化，從指稱一種具體的溫度轉爲指稱某些量度的起點，指稱範圍擴大。例“存項”新舊兩版釋義在指稱範圍、內容上有區別的同時，釋義表述的語體色彩也不同，舊版的語言較爲正式，新版的語言則趨於口語化，更符合被釋詞的語體色彩。“金甌”釋義表示本義的語段在指稱範圍和內容上都不準確，新版予以置換。

種差與類修訂計量統計結果見表 3.3。

表 3.3

種差與類	語段增刪	局部修訂	特殊變化	全面修訂
義項數	33	345	111	139
百分比%	5.25	54.94	17.68	22.13
例　詞	僞書、轂底	蓧麥、玫瑰①	洋鬼子、地貌	兵家、零

定義式釋義中種差與類修訂共涉及 628 條義項，占定義式釋義修訂總量的 20.98%。其中，以種差與類的局部修訂最多，占此類修訂的 54.94%；其次爲種差與類的全面修訂，占 22.13%；類與種差的特殊變化居第三，占 17.68%。語段的增刪涉及義項較少，只占 5.25%。種差的局部修訂與全面修訂多涉及專科性較強的被釋詞語，語段的變化和種差與類的特殊變化多涉及一般的被釋詞語。種差與類的綜合修訂，是被釋詞語與釋義左右兩邊更加等值的最有力的表現，從中我們也更能看到詞義深化的痕跡。

4.定義式釋義修訂小結

名詞性詞語釋義修訂中，定義式釋義修訂最多，占修訂總量的 86.38%，具體計量統計結果見表 3.4。

表 3.4

修訂類別	類	種差	種類綜合
義項數	221	2145	628
百分比%	7.38	71.64	20.98
例　　詞	禮俗、詞人	金飯碗、玩具	天才、零

定義式釋義修訂中，最主要的是對種差的修訂，共計 2145 條，占定義式釋義修訂總量修訂的 71.64%。種差是體現某類詞群中不同語義特徵的關鍵，其類別繁多、千差萬別，對種差細緻全面的修訂是定義式釋義修訂的重中之重。對種差的修訂中，種差的增補涉及義項最多共計 712 條；種差的綜合調整居次之，共計 818 條；種差的置換居第三，共計 473 條；種差的刪減最少，共計 342 條。

定義式釋義修訂中，居其次的爲類與種差綜合的修訂，占 20.98%。類與種差的綜合修訂即定義式釋義中不僅種差發生變化，類也發生變化。此類修訂對釋義調整的幅度較大，其中最主要是對釋義的局部調整，共計 345 條；其次爲種差與類的全面調整，共計 139 條；特殊變化即有關被釋詞身份的變化共計 111 條；語段的變化增刪，共計 33 條。

類的修訂最少，只占 7.38%。單純的類的修訂雖然很少，但是卻非常重要。類的修訂中，以類的置換爲主體，共計 156 條；類的增加和刪減都很少，分別涉及 55 條義項和 10 條義項。

總之，種差的修訂、類的修訂以及種差與類綜合修訂，都是在範圍和內容上調節釋義的準確性和精確性，即使得被釋詞語的左右兩項在範圍上更加契合，在內容上更加精准。

（二）語詞式釋義的修訂

語詞式釋義簡單明瞭，通常是以今語釋古語、以普通話釋方言、以本族語釋外來詞等。我們這裏所說的語詞式釋義包括：同義詞對釋、詞語交叉對釋、反義對釋。同義詞對釋是指一詞釋一詞，其間的意義是相等或相近，如："事端：糾紛"；詞語交叉對釋是指用兩個或兩個以上的相近的詞來限制或補充詞義的範圍。如："心眼兒⑤：氣量；胸懷"；反義對釋指的是用"否定詞+反義詞"來釋義。需要說明的是，語詞式釋義中有括注的情況，我們仍算作語詞式釋義，如"機遇：時機；機會（多指有利的）"。

名詞性詞語語詞式釋義在其模式內的修訂很少，共計 40 條義項，占名詞性詞語釋義修訂的計 1.15%，包括語詞的增加、刪減與置換。

1.語詞的增加

舊版有部分釋義未能完整的表達詞義，新版增加與被釋詞目相關相近的詞語，來補充詞義，共涉及 13 條義項。如：

【風】

舊版：⑦態度。（P374）

新版：⑦態度；姿態（P405）

【贓】

舊版：贓物。（P1569）

新版：贓款或贓物。（P1697）

2.語詞的刪減

舊版有些語詞式釋義的指稱範圍超出了詞義的指稱範圍，有些語詞式釋義顯得多餘、囉嗦，新版予以刪減，共涉及 13 條義項。如：

【機遇】

舊版：境遇；時機；機會（多指有利的）。（P582）

新版：時機；機會（多指有利的）。（P638）

【輩子】

舊版：一世或一生。（P58）

新版：一生。（P62）

3.語詞的置換

舊版有些語詞式釋義用詞不準確或不規範，新版用適當的語詞予以替換，共計 14 例。如：

【病】

舊版：③心病；私弊。（P92）

新版：③害處；私弊。（P99）

【黏米】

舊版：〈方〉黍子。（P927）

新版：〈方〉黃米。（P997）

“病”舊版釋義中“害處”指稱範圍過大，新版以“心病”替換，更加貼切。“黏米”兩版釋義“黍子”和“黃米”有細微差別，“黃米”是“黍子去了殼的子實”，所以新版釋義更加準確。

語詞式釋義修訂計量統計結果，見表 3.5。

表 3.5

類　別	增加	刪減	置換
義項數	13	13	14
百分比%	32.50	32.50	35.00
例　詞	風、贓	機遇、輩子	病、黏米

名詞性詞語語詞式釋義在其模式內的修訂很少，共計 40 條義項，占名詞性計量統計的 1.15%。從修訂方式來說，增、刪、置換，在其修訂中均勻分佈。從內容上來說，它運用更爲準確的、具有不同差別的近義詞或同義詞對被釋詞進行釋義，使釋義更爲恰當。

（三）特殊類型的修訂

新版對舊版釋義表述的修訂，有的是對釋義模式內幾種成分的增、刪、改，有的修訂則意在反映詞語意義整體上發展變化。這種變化，在形式上表現爲“釋義特徵詞（比喻、泛指、特指等）+意義”的增加、刪減。此類釋義的置換，由於還是在其模式內所作的修訂，所以我們已經將其歸入以上各類討論。這裏，我們只計量特殊類型的增刪，共涉及 112 條義項，占整個名詞性詞語釋義修訂總量的 3.24%。陸儉明先生曾經批評舊版中的個別詞語“注釋不周全，特別是沒有把現在普遍使用的意義注釋出來”[12]這種情況在舊版中絕非個案，而新版大多一一給予增補，不僅如此，新版還刪減了一些在現代漢語普通話層面不再通行的意義，特殊類修的修訂就是最好的證明。

1.比喻義的增加與刪減

（1）比喻義的增加

比喻義的增加共涉及 12 條義項，包括舊版沒有比喻義，新版增加比喻義 5 條，舊版原有比喻義，新版再增加比喻義 2 條，舊版只說明有比喻用法，新版增加比喻義的 2 條。如：

12 陸儉明 現代漢語詞彙研究序[M] 曹煒 現代漢語詞彙研究。北京：北京大學出版社，2003 年。

【迷宮】

舊版：門戶道路複雜難辨，人進去不容易出來的建築物。（P871）

新版：門戶道路複雜難辨，人進去不容易出來的建築物。比喻充滿奧秘不易探索的領域。（P938）

【屏藩】①

舊版：屏風和藩籬，比喻周圍的疆土。（P982）

新版：屏風和藩籬，比喻周圍的疆土，也比喻衛國的重臣。（P1056）

【矛頭】

舊版：矛的尖端，多用於比喻。（P857）

新版：矛的尖端，比喻批評、攻擊的方向。（P923）

“迷宮”舊版沒有比喻義，新版增加比喻義。“屏藩”舊版已經有比喻義，但不夠周全，新版再增比喻義。“矛頭”舊版只涉及了比喻的用法，新版將其穩定下來的具體比喻義納入詞典之中。

（2）**比喻義的刪減**

比喻義的刪減只有 3 條，1 條是比喻義的完全消失，1 條是比喻義的部分刪減，1 條是比喻義轉移到用例中。如：

【方圓】

舊版：③方形和圓形。比喻一定的規則或標準。（P354）

新版：③方形和圓形。（P384）

【愁雲】

舊版：比喻憂鬱的神色或淒慘的景象。（P179）

新版：比喻憂鬱的神色。（P194）

【潛流】

舊版：潛藏在地底下的水流。也比喻潛藏在內心深處的感情。（P1013）

新版：潛藏在地底下的水流：◇作品著力發掘人物心靈深處的情感～。（P1090）

2.借指義的增加

借指義的變化只涉及增加類型，只涉及 3 條義項。如：

【屠刀】

舊版：宰殺畜牲的刀。（P1276）

新版：宰殺畜牲的刀，借指反動暴力。（P1380）

3.特指義的增加與刪減

（1）特指義的增加

特指義的增加，共涉及 4 條義項。如：

【知識青年】

舊版：指受過學校教育，具有一定文化知識的青年人。（P1612）

新版：指受過學校教育，具有一定文化知識的青年人，特指二十世紀六七十年代到農村或邊疆參加農業生產的城市知識青年。（P1746）

（2）特指義的刪減

特指義的刪減，只涉及 2 條義項。如：

【機床】

舊版：工作母機，也特指金屬切削機床。（P581）

新版：用來製造機器和機械的機器。也叫工作母機。（P627）

4.泛指義的增加與刪減

（1）泛指義的增加

泛指義的增加涉及的義項較多，共計 17 條。如：

【情況】②

舊版：指軍事上的變化。（P1035）

新版：指軍事上的變化，泛指事情的變化、動向。（P1116）

（2）泛指義的刪減

泛指義的刪減只涉及 1 條義項。如：

【金幣】

舊版：古代泛指金屬貨幣，現在指用黃金作主要成分鑄造的貨幣。（P654）

新版：用黃金作主要成分鑄造的貨幣。（P706）

5.（現、也、多、通常）指義的增加與刪減

除以上幾種“指示詞+意義”外，釋義中還會出現“也指、現也指、有時指、”等表示詞義在時間、空間、使用頻率等方面的差別。我們將這些“指示詞+意義”的增刪歸爲一類，涉及的義項也很多，共計 45 條。

（1）此特殊類型意義的增加

此特殊類型意義的增加涉及 29 條。如：

【車份兒】

舊版：租用人力車、三輪車等拉客的人付給車主的租金。（P150）

新版：舊指租用人力車、三輪車等拉客的人付給車主的租金，現也指計程車司機向所屬公司交的租車費。（P163）

【果盤】（～兒）

舊版：專用于盛放果品的盤子（P483）

新版：專用于盛放果品的盤子，也指裝在盤子裏的瓜果。（P523）

【序目】

舊版：（書的）序和目錄。（P1422）

新版：（書的）序和目錄，有時專指目錄。（P1539）

“車份”在新時代的發展下，有了新的意義，新版將此新的意義補充進來。“果盤”不僅僅指稱盤子，還轉指盤子裏的瓜果，新版予以補充。“序目”舊版只說明了其一般意義，新版補充了它的特殊意義。

（2）此特殊類型意義的刪減

此特殊類型意義的刪減涉及 16 條。如：

【妻小】

舊版：妻子和兒女，也指妻子。（P991）

新版：妻子和兒女，（多見於早期白話）。（P1066）

【替身】

舊版：替代別人的人，多指代人受罪的人。（P1242）

新版：替代別人的人：～演員。（P1343）

“妻小”在特定的時代，只指稱“妻子和兒女”，新版刪減舊版的也指義。“替身”在現今最常用的意義即“替代別人的人”，而“代人受罪的人”一般用“替罪羊”來表示，所以新版予以刪減。

6.原義的增補與刪減

除去上述我們所討論的各類“指示詞+意義”之外，在同一釋義中還會出現與其相對的本義、舊指義、字面義等，我們統稱爲被釋詞目的原義，一併納入特殊類型的修訂討論。原義的增加與刪減共涉及 28 條。

（1）**原義的增加**

具有普遍意義的原義的補充能夠更加清晰的表現出詞義的發展過程，共涉及 24 條義項。如：

【新紀元】

舊版：比喻劃時代的事業的開始。（P1401）

新版：新的歷史階段的開始，也比喻劃時代的事業的開始。（P1516）

【禮教】

舊版：舊傳統中束縛人的思想行動的禮節和道德。（P772）

新版：禮儀教化，特指舊傳統中束縛人的思想行動的禮節和道德。（P833）

“新紀元”的比喻義，“禮教”的特指義都具普遍意義，但是其本義、原義也很常用，新版予以補充。

（2）**原義的刪減**

原義的刪減即刪除冷僻的、適用範圍不廣的意義，涉及 4 條義項。如：

【土豪】

舊版：舊時指地方上有錢有勢的家族或個人，後特指農村中有錢有勢的惡霸。（P1277）

新版：舊時農村中有錢有勢的地主或惡霸。（P1381）

特殊類型修訂計量統計見表 3.6。

表 3.6

類　別	增補	刪減	合計	百分比%
比喻義	9	3	12	10.71
借指義	3	-	3	2.68
特指義	4	2	6	5.36
泛指義	17	1	18	16.07
現、也等指義	29	16	45	40.18
原　義	24	4	28	25.00

特殊類型的修訂共涉及義項 112 條，占名詞性詞語釋義修訂的 3.24%。最主要的是“現、也、通常等”指的變化，占特殊類型修訂的 40.18%；其次原義的修訂涉及義項也較多，占 25%；居第三的是泛指義的修訂，占 16.07%；比喻義的修訂涉及義項也不多，占 10.71；特指義與借指義的修訂較少，各占 5.36%和 2.68%。從修訂形式上來說，特殊類型以增加爲主，刪減爲輔。我們從特殊類修的修訂中，可以清楚的看出詞義發展的軌跡。

（四）釋義模式的修訂

舊版有一部分釋義無法在其固有模式內修訂，新版改變通過增、刪、改等手段，選擇更加合適的釋義模式，共計 207 條，占整個名詞性詞語釋義修訂總量的 5.97%。

1.語詞式 — 定義式

語詞式釋義轉變爲定義式釋義，共涉及 106 條義項，分爲以下兩種情況：

（1）舊版為語詞，新版轉變為定義式

舊版的語詞式釋義不能夠清楚、明白的反映被釋詞語的意義或者本身就有偏誤，新版以定義式釋義對被釋詞語作較爲詳細的說明，涉及 55 條義項。如：

【精髓】

舊版：比喻精華。（P668）

新版：比喻事物最重要、最好的部分。（P722）

【劑】

舊版：①藥劑；製劑。（P599）

新版：②配製的藥物。（P647）

（2）舊版為語詞式，新版轉變為表明被釋身份的定義式

新版爲了表明被釋詞的身份，以定義式置換語詞式，涉及 51 條義項。如：

【塗】②

舊版：海塗。（P1276）

新版：海塗的簡稱：。（P1380）

【社評】

舊版：社論。（P1116）

新版：社論的舊稱。（P1205）

2.定義式 — 語詞式

定義式釋義轉變爲語詞式釋義，共涉及 58 條義項。分爲以下兩種情況：

（1）舊版為定義式，新版為同義詞對釋或詞語交叉對釋

舊版的定義式釋義顯得累贅、多餘，新版改換爲同義詞對釋或詞語交叉對釋，共涉及 32 條義項。如：

【獵戶】②

舊版：打獵的人。（P797）

新版：獵人。（P860）

【弊病】

舊版：②事情上的毛病。（P71）

新版：②缺點或毛病。（P77）

（2）舊版為表明被釋詞身份的定義式，新版為語詞式

新版以語詞式釋義置換舊版表明被釋詞身份的定義式釋義，共涉及 26 條義項。如：

【幾何】

舊版：幾何學的簡稱。（P594）

新版：幾何學。（P641）

【曲蟮】

舊版：蚯蚓的通稱。也作蛐蟮。（P1042）

新版：蚯蚓。也作蛐蟮。（P1125）

3.一種模式轉變為混合模式

舊版有些釋義中只用一種釋義方式，不能準確的、清晰的反映詞義，新版採用兩種釋義模式交叉的方法，從不同角度反映詞義的主要特徵，涉及 20 條義項，其中定義式轉變爲混合式的有 11 條，語詞式轉變爲混合式的有 8 條。如：

【底線 2】

舊版：暗藏在對方內部刺探情況或進行其他活動的人。（P271）

新版：暗藏在對方內部刺探情況或進行其他活動的人；內線。（P294）

【義】①

舊版：正義。（P1490）

新版：公正合宜的道理；正義。（P1612）

4.混合模式轉變為一種模式

舊版有些釋義中運用了定義式和語詞式兩種模式，新版將其簡化爲一種模式，共涉及 24 條義項，其中混合式轉變爲定義式的有 21 條，混合式轉變爲語詞式的有 3 條。如：

【界線】

舊版：②不同事物的分界；界限①。（P651）

新版：②不同事物的分界。（P703）

【音量】

舊版：聲音的強弱；響度。（P1500）

新版：響度。（P1623）

釋義模式變化計量統計見表 3.7。

表 3.7

類　型	語詞 — 定義	定義 — 語詞	一種模式 — 混合	混合 — 種模式
義項數	106	58	20	24
百分比%	51.21	28.02	9.67	11.60
例　詞	劑、社評	弊病、幾何	底線、義	界限、褘

釋義模式變化共涉及義項 207 條，占名詞性詞語釋義變化的 5.97%。其中，語詞式釋義轉變爲定義式釋義涉及義項最多，占此類修訂的 51.21%；定義式釋義轉變爲語詞式釋義爲其次，占 28.02%。這兩種釋義方式的互轉，最主要的是涉及表明被釋詞身份的定義式釋義和語詞式釋義之間的互轉，即涉及被釋詞“簡稱”、“通稱”、“合稱”、“俗稱”等的變化。釋義從一種模式轉爲兩種模式以及釋義從兩種模式轉爲一種模式涉及的義項較少，分別占 9.67%和 11.60%。

（五）名詞性詞語釋義結構的修訂

《現漢》中大部分詞語的釋義結構是與被釋詞語的語法屬性相對應的，即名詞性詞語對應體詞性釋義，動詞、形容詞性釋義對應謂詞性釋義，也有少數詞語的釋義結構與其語法屬性不一致。被釋詞語的釋義結構與其語法屬性相對應，對讀者理解被釋詞的語法意義無疑是所幫助的。在舊版釋義中，往往存在釋義結構與被釋詞語的語法屬性不一致的現象，新版在標注詞性的基礎上，對此進行了修正，名詞性詞語釋義結構的變化共涉及 113 條義項，占名詞性詞語修訂總量的 3.26%，分爲以下三種情況：

一種是，有些名詞性詞語，舊版釋義結構爲動詞性的，新版修正爲名詞性的，涉及 27 條義項。如：

【隨記】

舊版：隨手紀錄（多用作標題）。（P1209）

新版：隨手作的紀錄（多用於書名或文章標題）。（P1306）

【惡作劇】

舊版：捉弄耍笑，使人難堪。（P330）

新版：捉弄耍笑，使人難堪的行爲。（P357）

“隨記”舊版在括注中已經標明“多用作標題”，那麼其釋義結構應爲名詞性的，新版予以更正。“惡作劇”爲名詞，舊版釋義爲動詞性擴展式結構，與被釋詞的語法屬性不符。

一種是，有些名詞，舊版釋義結構爲形容詞性的，新版修正爲名詞性的，共計 66 條。此類修訂是釋義結構修訂中最顯著的，其中又以“……的”式形容詞釋義模式轉爲定義式釋義最多，共計 40 條。如：

【老牌】

舊版：①創制多年，品質好，被人信任的：老牌產品。（P759）

新版：①創制多年，品質好，被人信任的商標、牌號：顧客公認的老牌。（P820）

【健步】

舊版：善於走路；腳步輕快有力。（P622）

新版：輕快有力的腳步。（P672）

【千里眼】①

舊版：形容眼光敏銳，看得遠。（P1007）

新版：舊小說中指能看到很遠地方的人。（P1084）

"老牌"舊版處理爲形容詞中的屬性詞，以"……的"式釋義顯得有些不妥，新版將其處理爲名詞，較爲合理。"健步"舊版釋義是對其特徵的說明描寫，新版用定義式釋義更符合其語法屬性。"千里眼"指稱的是某種人，舊版卻以"形容……"釋義，顯然是解釋這種人的特徵，新版予以修正。

一種是，有些名詞，舊版釋義中含有多種釋義結構或含糊不清，新版修正爲名詞性的，涉及 20 條義項。如：

【酣夢】

舊版：酣暢的睡夢；熟睡。（P493）

新版：酣暢的睡夢。（P534）

【面子】②

舊版：體面；表面的虛榮。（P880）

新版：表面的虛榮。（P947）

【首尾】②

舊版：從開始到末了。（P1165）

新版：從開始到末了的整個過程。（P1258）

“酣夢”爲名詞，舊版釋義中僅包含體詞性的定義式釋義還包含動詞性語詞釋義，不太合理，新版將“熟睡”刪除。“面子”爲名詞，舊版釋義中則包含名詞性定義式釋義的同時，還包含形容詞性語詞釋義，新版將其修正爲一種釋義結構。“首尾②”舊版釋義比較含糊，我們可以理解爲副詞也可以理解爲名詞，新版的釋義更加清晰。

（六）名詞性詞語釋義修訂小結

名詞性詞語釋義修訂共涉及義項 3466 條，以上內容是我們對這 3466 條義項修訂的逐一分析與歸類，具體計量統計結果見表 3.8。

表 3.8

修訂類別	定義式釋式	語詞式	特殊類型	模式變化	結構變化
義項數（條）	2994	40	112	207	113
百分比%	86.38	1.15	3.24	5.97	3.26
例　詞	人權、考生	風、機遇	新紀元、矛頭	劑、弊病	隨記、老牌

名詞性詞語釋義修訂中，定義式釋義修訂最多，占修訂總量的 86.38%；語詞式釋義修訂最少，占 1.15%；其他三類即特殊類型的修訂、釋義模式變化、釋義結構變化，分別占 3.24%，5.97% 和 3.26%。名詞性詞語釋義修訂有如下幾個特點：

一是：定義式釋義修訂占絕對優勢，占整個釋義修訂的 86.38%，再次證明了名詞性詞語以定義式釋義爲主要模式的觀點，且我們從釋義模式變化中也可以看出，語詞式向定義式轉化的義項最多，也在一定程度上支持這一觀點。

二是：定義式釋義中，比較穩定的詞義成分爲“類”，修訂數量不多，變化類型也比較簡單。種差是定義式釋義中修訂的主體，占定義式釋義修定的 71.64%，即使在種差與類的綜合修訂中，種差的變化也占絕大多數。種差的增加、刪減、置換都是新版對詞義再認識的最有力的表現。我們在種差變化上，可以明顯的看出時代的發展、人民生活水準的提升、思想認識的進步的種種痕跡。比如隨著香港、澳門的回歸，“華南”一詞的指稱範圍隨之擴大，再如，現今保護壞境、珍愛動物的思想已經是主流，在釋義中，有捕殺動物傾向的種差也基本消失等等。

三是：特殊類型的修訂數量雖然很少，只有 112 條，占名詞性詞語釋義修訂的 3.24%，但是卻能夠在整體上反映詞語的發展。特殊類型的修訂中，“現、多、通常”等指義以及泛指義、原義的增刪涉及義項較多，比喻義、借指義、特指義的增刪涉及義項較少。

四是：從釋義結構的變化中，我們可以看出，釋義的結構與被釋詞目的語法屬性更加對應。我們認爲，並不是釋義結構一定要符合被釋詞目的語法屬性，但是在符合被釋詞目語義特徵且釋語通順、合理的情況下，釋義結構能幫助我們理解被釋詞的語法屬性。

五是：名詞性詞語的釋義，經過新版修正之後，更加完備、準確。在修訂方式是，應該說，還是以增補爲主。首先，定義式釋義爲主體，種差的修訂占絕對數量，單純種差的增加比其他修訂方式都多，所以我們有理由推測在種差綜合調整以及種類綜合中，種差的增加，數量上也佔優勢。其次，語詞式釋義以及特殊類型的修訂方式中，也以增補爲主。所以我們說，名詞性詞語的釋義修訂，在方式上，以增加補爲主。

二、動詞性詞語釋義的修訂

動詞性詞語釋義的修訂，涉及了擴展式釋義、語詞式釋義、特殊類型、釋義模式、釋義結構等五方面的修訂，共涉及義項 1005 條。

（一）擴展式釋義的修訂

《現漢》中大部分動詞性詞語是用謂詞的擴展性詞語來釋義的，符淮青先生把表示動作行爲的詞的釋義模式用公式表示爲 “A+b+B+d1+D1+d2+D2…+e+E+F”。[13]其中，A 表示導致動作行爲產生的原因或條件，b 表示在數量、性狀等方面對施動者的各種限制，B 表示施動者，d1 爲動作 1 的限制語，包括身體部位、工具、程度、方式、數量、時間、空間等，Dl 爲動作 1，d2 爲動作 2 的限制語，D2 爲動作 2，e 表示對關係物件在數量、性狀等方面的限制，E 爲關係物件，F 表示動作行爲所導致的目的結果。

但是由於我們考察的是所有的動詞性詞語，所以 B、D1、E，就不僅僅是符淮青先生所歸納的施動者、動作行爲、關係物件，而是包括一切出現在主、謂、賓上的成分。據考察，出現在 B 位置的主語包括施事主語、受事主語、表示工具的工具主語、表示處所的處所主語以及一般行爲或狀態的主語等，我們將出現在 B 位置上的主語歸納爲“主體”；出現在 D1 位置上不僅僅包括具體的動作行爲，還包括表示語言、思維感情的活動以及物的動態特徵等，我們將出現在 D1 位置上的還是稱爲動作行爲，但是其

13 符淮青：《詞典學詞彙學語義學文集》，第 13-14 頁，商務印書館，2004。

範圍較廣。出現在 E 位置上的詞語不僅包括動作行爲所涉及的關係物件，還包括表示處所的賓語，表示存在、出現或消失的事物即存現賓語以及出現在謂詞性成分前的介詞“跟”、“向”、“給”、“把”等的賓語，我們將它們及其限制語一起稱爲“物件”。釋義中的原因、條件、目的、結果等，我們也將單列一類進行討論。動詞性詞語釋義中也會包括被釋詞目的其他語義特徵。比如對動作行爲的分類列舉、評價、歷史典故等，我們將這些語義特徵的修訂歸納爲“其他成分”的修訂。

還有一部分動詞性詞語會採取定義式釋義的方式，即釋義整體結構爲體詞性的偏正結構或先說明動作行爲的類別，再以擴展性釋語說明種差。根據符淮青的觀點，這類定義式釋義與擴展式釋義大都是等值的，“我們完全可以根據最能表現這種詞義的構成的共性釋義方式即擴展式來分析它的意義”。[14]所以，如果這類釋義中的類發生變化，我們將其歸入“其他成分”討論，如果種差發生變化，我們將其歸入擴展式釋義各成分討論。但是，如果新舊版釋義結構發生了變化，如體詞性的偏正結構釋義轉變爲謂詞性的擴展式釋義我們將另行分析。

據統計，動詞性詞語擴展式釋義的變化共涉及義項 633 條，占動詞性詞語釋義修訂 62.99%。

1.主體的修訂

新版對舊版釋義中主體的修訂只涉及 23 條義項，說明擴展式釋義中，主體不易發生變化，舊版對釋義中主體的把握也比較準確。

14 符淮青：《詞典學詞彙學語義學文集》，第 18 頁，商務印書館，2004。

（1）主體的增補

主體的增補共涉及 10 條義項，表示並列關係的主體的增補涉及 6 條義項，按照語序排列成分的增加涉及 4 義項。主體的增加主要是補充舊版缺釋的詞義成分，使釋義更加完整。如：

【歸案】

舊版：隱藏或逃走的罪犯被逮捕、押解或引渡到有關司法機關、以便審訊結案。（P472）

新版：隱藏或逃走的犯罪嫌疑人或罪犯被逮捕、押解或引渡到有關司法機關、以便審訊結案。（P512）

【串供】

舊版：互相串通，捏造口供。（P196）

新版：犯罪嫌疑人、刑事被告人之間以及他們與證人之間互相串通，捏造口供。（P212）

"歸案"中"犯罪嫌疑人"和"罪犯"是兩個不同的概念，新版補充主體擴大釋義範圍。"串供"舊版缺乏主體，釋義也不明晰，且釋義範圍較寬，新版補充主體。

（2）主體的刪減

主體的刪減涉及 5 條義項，表示並列成分的刪減涉及 2 條義項，按照語序排列的成分的刪減涉 3 條義項。如：

【坐落】

舊版：土地或建築物位置（在某處）。（P1687）

新版：建築物位置處在（某處）。（P1828）

【侵略】

舊版：指一個國家（或幾個國家聯合起來）侵犯別國的領土，掠奪財富並奴役別國的人民。侵略的主要形式是武裝入侵，有時

也用於政治干涉、經濟和文化滲透等方式。（P1024）

新版：指侵犯別國的領土、主權，掠奪財富並奴役別國的人民。（P1104）

例“坐落”的主體一般是“建築物”，新版刪減舊版多餘成分“土地”，縮小釋義指稱範圍。“侵略”的施動者並不局限於國家，侵略的主要形式是武裝入侵，有時也用於政治干涉、經濟和文化滲透等方式。釋義中也明確表示“侵略”的形式多樣，所以新版刪除舊版的主體成分。

（3）主體的置換

主體的置換涉及 8 條義項，均是使主體在內容上更加準確。如：

【變樣】

舊版：（～兒）形狀、樣式發生變化。（P79）

新版：（～兒）模樣、樣式發生變化。（P84）

2.主體限制語的修訂

主體限制語的修訂也很少，只涉及 6 條義項。

（1）主體限制語的增補

主體的限制語的增補涉及 4 條義項，其中並列成分增加的涉及 1 條，按照語序排列成分增加的涉及 3 條。如：

【增值】

舊版：資產價值增加。（P1576）

新版：資產或商品價值增加。（P1705）

【掛鋤】

舊版：指鋤地工作結束。（P458）

新版：指一年的鋤地工作結束（P497）

例“增值”新版增加主體限制語，擴大釋義範圍。“掛鋤”增加表時間的主體限制語縮小釋義的範圍。

（2）主體限制語的刪減

主體限制語的刪減只涉及 1 條義項。如：

【出倒】

舊版：工商業主因虧損或其他原因，將企業的設備、商品和房屋、地基等全部售出，由別人繼續經營。（P181）

新版：私營工商業主因虧損或其他原因，將企業的設備、商品和房屋、地基等全部售出，由別人繼續經營。（P196）

例“出倒”新版刪減主體限制語“私營”，擴大釋義了釋義的範圍。

（3）主體限制語的置換

主體限制語的置換只涉及 1 條義項。如：

【下學】

舊版：學校一天或半天課業完畢，學生回家。（P1359）

新版：學校當天課業完畢，學生回家。（P1470）

“下學”新版釋義中以“當天”替換“一天或半天”更為準確、恰當。

3.動作行為的修訂

動作行為是擴展性釋義中最重要的詞義成分，它的修訂，相對於主體而言，數量較多，涉及 48 條義項。

（1）動作行為的增補

動作行為的增補涉及 16 條義項，表示並列成分的增補共涉及 15 條義項，按照語序排列的成分增補只涉及 1 條義項，主要是對舊版缺失的動作行為的補充。如：

【溜】②

舊版：偷偷地走開。（P808）

新版：偷偷地走開或進入。（P872）

【防守】

舊版：②在鬥爭或比賽中防備對方進攻。（P355）

新版：②在鬥爭或比賽中防備和抵禦對方進攻。（P386）

【引渡】②

舊版：甲國應乙國的請求，把乙國逃到甲國的犯罪的人拘捕，交給乙國。（P1503）

新版：甲國應乙國的請求，把乙國逃到甲國的犯罪的人拘捕，押解交給乙國。（P1627）

例“溜”不僅表示動作“走開”，還表示動作“進入”，新版予以補充。“防守”不僅僅包括“防備”這一行爲，還包括另一行爲“抵禦”。“引渡”中舊版釋義中缺少“押解”這一典型特徵，新版予以補充。

（2）動作行為的刪減

動作行爲的刪減很少，只涉及有 3 條義項，均是表示並列成分的動作行爲的刪減。如：

【侍弄】①

舊版：指經營、照管、餵養。（P1154）

新版：經營照管（莊稼、家禽、家畜）。（P1246）

（3）動作行為的置換

動作行爲的的置換，均是新版對舊版釋義中不恰當、不準確、不典型等地方的置換，共涉及 29 條義項。如：

【退火】①

舊版：金屬工具使用時因受熱而失去原來的硬度。（P1283）

新版：金屬工具使用時因受熱而降低原有的硬度。（P1387）

【單打一】

舊版：集中力量做一件事或只接觸某一方面的事物，而不管其他方面。（P244）

新版：集中力量做一件事或只顧及某一方面的事物，而不管其他方面。（P264）

【用兵】

舊版：使用軍隊作戰。（P1518）

新版：指揮、調遣軍隊作戰。（P1642）

例"退火"的謂詞性成分"失去"表述過於絕對，新版以"降低"置換，更爲恰當。"單打一"新版的謂詞成分"顧及"表述得比舊版更加準確、形象。"用兵"舊版的謂詞性成分"使用"太過籠統，新版以"指揮、調遣"替換，凸顯了被釋詞的語義特徵。

4.動作行為限制語的修訂

動作行爲限制語的修訂，與其他成分的單獨修訂相比較，涉及義項最多，共計 71 條。擴展式釋義中，動作行爲限制語對動作行爲的限定修飾十分重要，關係整個釋義的準確性。

（1）動作行為限制語的增加

動作行爲限制語的增加共涉及 42 條義項，其中並列成分增加的涉及 17 條，按照語序排列成分增加的涉及 25 條，此類修訂對限定詞義的範圍起到重要作用。

【拍】①

舊版：用手掌打。（P944）

新版：用手掌或片狀物打。（P1015）

【血洗】

舊版：像用血洗某個地方一樣，形容殘酷地屠殺人民。（P1432）

新版：像用血洗某個地方一樣，形容殘酷而大規模地屠殺。（P1550）

【抵賬】

舊版：用實物或勞動力等來還賬。（P270）

新版：用有價證卷、實物或勞動力等來還賬。（P293）

例“拍”新版增加表示方式的謂詞性成分限制語，擴大釋義範圍。例“血洗”謂詞性成分修飾語“大規模”的增加是對釋義的再限制，縮小釋義的指稱範圍。例“抵賬”謂詞性成分修飾語的增加是增加典型的語義特徵。

（2）動作行為限制語的刪減

動作行爲限制語的刪減涉及 9 條，表示並列成分刪減的 2 條，按照語序排列成分刪減的 7 條。如：

【漂】②

舊版：順著風向、液體流動的方向移動。（P971）

新版：順著液體流動的方向移動。（P1044）

【解說】

舊版：口頭上解釋說明：講解員給觀眾～這種機器的構造和性能。（P649）

新版：解釋說明：～詞/講解員給觀眾～這種機器的構造和性能。（P702）

“漂”一般表示某物隨著液體流動，所以新版刪除“風向”。“解說”可以表示口頭上的解釋說明，也可以表示書面中的解釋說明，新版刪除“口頭上”擴大釋義範圍，新版的用例的增加也能夠證明這一點。

（3）動作行為限制語的置換

動作行爲限制語的置換共涉及條 20 條，新版刪除舊版含糊、不準確的限制語，選擇更加更爲典型、更符合詞義特徵的限制語。如：

【刑訊】

舊版：用刑具逼供審訊。（P1407）

新版：通過折磨肉體逼供審訊。（P1523）

【赦免】

舊版：依法定程式減輕或免除對罪犯的刑罰。（P1117）

新版：以國家命令的方式減輕或免除對罪犯的刑罰。（P1206）

例“刑訊”新版用表方式的修飾語置換表工具的修飾語，更爲準確。例“赦免”新舊兩版的謂詞性下成分修飾語雖然都表示方式，但是新版的修飾語更加具體、典型。

5.對象的修訂

擴展式釋義中物件的修訂，涉及 61 條義項，比之主體成分的修訂也較多。

（1）對象的增補

物件的增補共涉及 32 條義項，表示並列成分的增補共涉及義項 31 條，舊版釋義中沒有物件成分，新版予以增加的，只涉及 1 條義項。如：

【兌獎】

舊版：憑中獎的彩票或獎券兌換獎品。（P320）

新版：憑中獎的彩票或獎券兌換獎品或獎金。（P347）

【總裝】

舊版：②把部件裝配成總體。（P1674）

新版：把零件和部件裝配成總體。（P1815）

【專任】

舊版：專門擔任（區別於‘兼任’）。（P1650）

新版：專門擔任某一職務。（P1787）

例“兌獎”新版增加表示選擇關係的物件成分，例“總裝”新版增加表示相加關係的並列成分，這兩例均是爲了擴大釋義的指稱範圍。“專任”中舊版沒有物件，新版補充物件，釋義更加清晰、明確。

（2）對象的刪減

物件的刪減共涉及 6 條義項，表示並列成分的物件的刪減，涉及 1 條義項，表示語序排列成份的刪減共涉及 5 條義項。如：

【上繳】

舊版：把收入的財物、利潤和節餘等繳給上級。（P1107）

新版：把收入的財物等繳給上級。（P1195）

【考釋】

舊版：考證並解釋古文字。（P709）

新版：考證並解釋。（P766）

“上繳”舊版釋義中的物件“財物”已經包括“利潤和節餘”，所以新版將多餘的成分刪除。例“考釋”的物件並不局限於“古文字”，新版刪除舊版物件成分，擴大釋義的所指範圍。

（3）對象的置換

新版置換舊版物件成分共涉及 23 條義項，其中調整釋義範圍的涉及 4 條義項，使釋義內容更加準確、典型的涉及 19 條。如：

【茨】

舊版：①用茅草或蘆葦蓋屋子。（P206）

新版：①用茅草或蘆葦蓋屋頂。（P222）

【建議】

舊版：①向集體、領導等提出自己的主張。（P621）

新版：①向人提出自己的主張。（P671）

“茨”舊版中對象“屋子”的範圍指稱範圍較寬，新版以“屋頂”置換。例“建議”新版對象泛指所有的人，舊版將“集體、領導”作爲典型語義特徵列出，反而不準確。

6.對象限制語的修訂

物件限制語的修訂，只涉及 18 條義項，比主體限制語的修訂數量多，但是不及動作行爲限制語的修訂數量。

（1）對象限制語的增補

物件限制語的增補共涉及 11 條義項，表示並列成分增加的涉及 7 條，按照語序排列成分增加的涉及 4 條。如：

【套近乎】

舊版：和不太熟識的人拉攏關係，表示親近（多含貶義）。也說拉近乎。（P1234）

新版：和不太熟識或關係不密切的人拉攏關係，表示親近（多含貶義）。也說拉近乎。（P1334）

【串】

舊版：⑥擔任戲劇角色。（P196）

新版：⑦擔任非本行當的戲劇角色。（P212）

例“套近乎”增加表示並列的物件限制語，擴大釋義的範圍。“串”舊版釋義範圍過於寬泛，新版對其對象進行限制，縮小釋義範圍。

（2）對象限制語的刪減

物件限制語的刪減只涉及 1 條義項。如：

【做】④

舊版：舉行家庭的慶祝或紀念活動。（P1688）

新版：舉行慶祝或紀念活動。（P1830）

（3）對象限制語的置換

物件限制語的置換只涉及 6 條，調整釋義範圍的涉及 2 條，調整釋義內容使其更準確的涉及 4 條。如：

【歸向】

舊版：向好的一方面靠近（多指政治上的傾向）。（P473）

新版：向某一方面靠近（多指政治上的傾向）。（P512）

【犯罪】

舊版：做出犯法的、應受處罰的事。（P351）

新版：做出危害社會、依法應處以刑罰的事。（P381）

“歸向”不僅僅指向好的一方面靠近，也指向不好的一方面靠近。新版置換舊版對象限制語，擴大釋義範圍。“犯罪”新版對象的限制語“危害社會、依法應以刑法”顯然比舊版更爲科學、規範。

7.原因、條件或目的、結果的修訂

新版對舊版原因、條件或目的、結果修訂共涉及 45 條義項。

（1）原因、條件或目的、結果的增補

原因、條件或目的、結果的增補共涉及 24 條義項。原因、條件的增加共涉及 3 條，表示並列成分的涉及 1 條義項，按照語序排列的涉及 2 條義項。目的、結果的增補共涉及 21 條，表示並列成分的涉及 11 條義項，按照語序排列的增補涉及 10 條義項。如：

【折壽】

舊版：迷信的人指因享受過分而減損壽命。（P1594）

新版：迷信的人指因享受或受到的禮遇過分而減損壽命。（P1725）

【串線】

舊版：不同的路線互相連通。（P196）

新版：不同的路線因故障而互相連通。（P212）

【拉動】

舊版：採取措施使提高或發展。（P1707）

新版：採取措施使提高、增長或發展。（P804）

【正音】

舊版：矯正語音。（P1607）

新版：①矯正語音，使符合語音規範。（P1740）

例“折壽”的原因不僅是“享受過分”，還包括受到“禮遇過分”，新版予以增補。“串線”舊版沒有說明原因，新版予以補充。“拉動”的結果也不僅僅包括“提高、發展”，新版還增補了“增長”。“正音”舊版釋義中沒有說明正音的目的，釋義顯得不完整，新版予以補充。

（2）原因、條件或目的、結果的刪減

原因、目的的刪減均屬於按照語序排列成分的刪減，共涉及 7 條義項。原因、條件的刪減涉及 4 條義項。目地結果的刪減涉及 3 條義項。如：

【拆兌】

舊版：〈方〉爲應急而臨時借用（錢、物）。（P134）

新版：〈方〉臨時借用（錢、物）。（P145）

【跑單幫】

舊版：指個人往來各地販賣貨物牟取利潤。（P954）

新版：指個人往來各地販賣貨物。（P1026）

例“拆兌”舊版釋義中的原因，限制了釋義所指的範圍，新版予以刪減。“跑單幫”舊版釋義中的目的“牟取利潤”顯的多餘累贅，新版予以刪除。

（3）原因、條件或目的、結果的置換

原因、條件或目的、結果的置換共涉及 14 條，原因、條件的置換涉及 8 條義項，目的、結果的置換涉及 6 條義項。如：

【出走】

舊版：被環境逼迫不聲張地離開家庭或當地。（P185）

新版：因故不聲張地離開家庭或當地。（P201）

【失手】①

舊版：因手沒有把握住或沒有留意，而造成不好的後果。（P1137）

新版：因手沒有把握住或沒有掌握好分寸，而造成不好的後果。（P1228）

【塡倉】

舊版：舊俗正月二十五日爲塡倉節，往糧囤裏塡點糧食，表示吉利，並且吃講究的飯食。（P1249）

新版：舊俗正月二十五日爲塡倉節，往糧囤裏塡點糧食，表示祈求糧食豐收，並且吃講究的飯食。（P1351）

“出走”的原因不一定是“被環境逼迫”，還包括許多其他因素，新版釋義中將原因泛化，更爲恰當。例“失手”舊版表述的原因之一“沒有留意”，意思較爲含糊，新版置換爲“沒有掌握好分寸”更爲明確。“填倉”舊版表述的目的“表示吉利”不典型，新版置換成“表示祈求糧食豐收”更能凸顯被釋詞的典型語義特徵。

8.其他成分的修訂

其他成分的修訂包括動詞性詞語釋義中除上述幾種成份以外的語義特徵的修訂，如對釋義的整體限制、被釋詞的分類列舉、命名緣由等等。由於我們所研究的詞語不僅僅包括符淮清先生所指的“表動作行爲的詞”，所以我們所涉及的擴展式成分，超出了符先生歸納的那幾種詞義成分。其他成分的修訂，也不在少數，共涉及 68 條義項，其中增補的涉及 33 條，刪減的涉及 25 條，其置換的涉及 10 條。如：

【出差】

舊版：②出去擔負運輸、修建等臨時任務。（P181）

新版：②舊指出去擔負運輸、修建等臨時任務。（P196）

【鉛印】

舊版：用鉛字排版印刷，大量印刷時，排版後製成紙型，再澆制鉛版。（P1009）

新版：印刷方法的一種，用鉛字排版印刷，大量印刷時，排版後製成紙型，再澆制鉛版。（P1086）

【胎教】

舊版：指孕婦在懷孕期間，通過自身的調養和修養，給予胎兒以良好影響，如注意營養，保持心情舒暢，謹慎用藥，避免輻射等。（P121）

新版：指孕婦在懷孕期間，通過自身的調養和修養，給予胎兒以良好影響。（P1315）

【付梓】

舊版：古時用木板印刷，在木板上刻字叫梓，因此把稿件交付刊印叫付梓。（P393）

新版：古時刻板印書以梓木爲上等用料，因此把稿件交付刊印叫付梓。（P426）

例“出差”新版增加時間上的限制“舊指”，使釋義更加準確，由於“舊指”並不是對釋義中某一成分的限制，而是對釋義整體的限制，所以我們將其歸入此類討論。“鉛印”新版增加其類別“印刷方法的一種”，我們將其作爲典型語義特徵的增加歸入了“其他成分”計量。例“胎教”中新版刪減了對“胎教”的列舉成分，釋義更爲簡潔。“付梓”舊版對其命名緣由的解釋並不準確，新版予以置換。

9.動詞性詞語擴展性釋義中各成分的綜合調整

與上述中幾種詞義成分單獨修訂相比，擴展性釋義中各成分的綜合調整涉及義項非常多，共計 293 條。

（1）釋義中語段的增、刪

有些擴展性釋義也是由兩個或兩個以上緊密相關的語段組成的，每個語段相對獨立，各語段之間以“或”、分號爲間隔。釋義中語段的修訂共涉及 46 條義項，其中語段的增加涉及 38 條義項，語段的刪減涉及 8 條義項。如：

【編創】

舊版：編寫創作。（P1691）

新版：編寫創作；編排創作。（P80）

【出界】

舊版：越出界線；越過邊界。（P182）

新版：越出界線。（P197）

“編創”一詞中“編”的語素義不僅指“編寫”還指“編排”，新版對此進行補充。例“出界”中“越過邊界”這一意義現今已經不常用，新版予以刪除。

（2）動詞性詞語釋義各成分的局部綜合修訂

動詞性詞語釋義各成分的局部綜合修訂涉及的義項較多，共計 187 條義項。可以分爲以下兩種情況：

一種是幾種成分之間的變化有著必然、明顯的聯繫，即新版通過增加、刪減兩種以上的有關聯的詞義成分。如：

【佃】

舊版：租種土地。（P286）

新版：①農民向地主租種土地。（P310）

【顧家】

舊版：顧念家庭，多指照管家務，贍養家屬等。（P455）

新版：顧念家庭，多指照管家務等。（P494）

“佃”新版不僅增加了主體“農民”，也增加了物件“地主”。“顧家”舊版釋刪減動作行爲“贍養”的同時，也刪除了對象“家屬”。

二是，幾種成分修訂之間沒有明顯的必然聯繫，即新版對舊版幾種成分的修訂關係比較疏遠。如：

【通緝】

舊版：公安或司法機關通令轄區搜捕在逃的犯人。（P1261）

新版：司法機關通令有關地區協同緝拿在逃的犯罪嫌疑人或

在押犯人。（P1364）

【訓誡】②

舊版：一種最輕的刑罰，人民法院以國家的名義對犯罪者進行公開的批評教育。（P1435）

新版：一種處分措施，人民法院對犯罪情節輕微或有錯誤的人進行公開的批評教育。（P1554）

例“通緝”新版刪減主體成分“公安”，並以“有關地區”置換舊版所指範圍較窄的物件成分“轄區”，這兩處修訂分別在擴展性釋義中各成分內進行，兩者沒有必然聯繫。“訓誡”新版首先置換表示其類別的語義特徵，然後再刪減擴展式釋義中動作行爲的限制語“以國家的名義”，最後再對物件進行調整，幾處修訂使釋義更加準確。

（3）動詞性詞語各成分的全面改換

舊版也有部分動詞性詞語的釋義，或釋義中的相對獨立的語段，通過一種成分或幾種成分的修訂，仍然不能夠準確、無誤的反映詞義，新版對此進行了全面修訂，共涉及 60 條義項。新版釋義更加科學、規範。

【傳喚】②

舊版：法院、檢察機關用傳票或通知叫案件有關的人前來。（P193）

新版：司法機關用傳票指定與訴訟有關的的人在指定時間到達指定的地點，接受訊問或詢問。（P209）

【催化】

舊版：某些物質在化學反應中改變反應速度，而本身的量和化學性質並不改變。（P216）

新版：促使化學反應的速率發生改變。（P233）

例“傳喚”爲法律領域的用語，新版釋義更加準確，專業性較強，也更爲科學。“催化”舊版釋義表述顯得有些囉嗦，新版表述更叫簡潔、明瞭。

10.擴展式釋義修訂小結

動詞擴展性釋義成分較多，修訂也比較複雜，共涉及義項 633 條，具體計量結果見表 3.9。

表 3.9

擴展性釋義成分修訂		增補	刪減	替換	合計	百分比%
擴展性釋義各成分的單獨修訂	主　體	10	5	8	23	3.63
	主體限制語	4	1	1	6	0.95
	動作行為	16	3	29	48	7.58
	動作行為限制語	42	9	20	71	11.22
	對　象	32	6	23	61	9.64
	對象限制語	11	1	6	18	2.84
	原因條件目的結果	24	7	14	45	7.11
	其他成分	33	25	10	68	10.74
	合　計	172	57	111	340	53.71
綜合修訂	293					46.29

擴展性釋義各成分單獨修訂的總和占 53.71%，從內容上來說，動作行爲限制語修訂最多，占 11.22%；“其他成分”的修訂爲其次，占 10.74%，由於“其他成分“中包含了命名原由、分類列舉等多項內容，所以修訂所占比例也略高；對象成分的修訂排第三，占 9.64%，動作行爲成分的修訂排第四，占 7.58，原因條件、目的結果的修訂也不少，占 7.11%，物件限制語的修訂較少，占 2.84%；主體和主體限制語的修訂最少；這幾種成分的單獨修訂，從修訂形式上來說，以增補爲主，置換爲輔，刪減則占最少。

擴展性釋義成分修訂占比例最大的，並不是各成分的單獨修訂，而是各成分的綜合修訂，共涉及義項 293 條，占此類修訂的 46.29%，說明新版對舊版擴展性釋義的修訂主要在於對詞義整體上的調整以及對多種詞義成分的調整，而不僅僅局限於每種詞義成分的單獨修訂。綜合修訂的計量統計結果見表 3.10。

表 3.10

綜合修訂	語段的增刪	局部綜合調整	全面調整
義 項 數	46	187	60
百分比%	15.70	63.82	20.48
例　　詞	編創、出屆	佃、顧家	催化、告慰

擴展性釋義中的綜合修訂，又以局部綜合修訂爲主，占此類修訂的 63.82%。擴展式釋義中詞義成分較爲複雜，多樣，分類較爲細緻，所以要想把詞義更爲明晰、準確地表述出來，僅對釋義中某一種成分的修訂是不夠的，這足以證明擴展式釋義的修訂中局部綜合調整占大多數，有一定的依據。語段的增刪涉及 46 條義項，占 15.70%，其中主要是以增爲主，涉及 38 條義項，主要是補充詞義缺失的成分。擴展性釋義的全面調整，占 20.48，主要是以全新的釋語給被釋詞更準確、更規範、更科學的詮釋。

（二）語詞式釋義的修訂

動詞性詞語的語詞式釋義的修訂，共涉及 79 條義項，占動詞性詞語釋義修訂的 7.86%。語詞式釋義在各詞類中，釋義方式基本一致，即動詞性詞語的語詞式釋義也包括同義詞對釋、詞語交叉對釋、反義對釋這幾種類型。

1.語詞的增加

新版增加的詞語與被釋詞目或舊版中的釋語同義或近義，共涉及 31 條義項。如：

【超出】

舊版：越出（一定的數量和範圍）。（P146）

新版：超越；越出（一定的數量和範圍）。（P159）

【致】④

舊版：招致。（P1624）

新版：招致；引起。（P1758）

例“超出”、“致”舊版語詞式釋義不完整，新版予以補充。

2.語詞的刪減

新版刪減的詞語與被釋詞目或舊版中的釋語同義或近義，共涉及 14 條義項。

【抒發】：

舊版：表達；發抒（感情）。（P1169）

新版：表達（感情）。（P1263）

【看】②

舊版：看押；監視；注視。（P703）

新版：看押；監視。（P761）

例“抒發”舊版釋義中“發抒”與被釋詞只是在語素排列序列上不同，不足以說明被釋詞的詞義，新版予以刪減。“看”舊版釋義中的“注視”不具普遍意義，新版予以刪減。

3.語詞的改換

新版對舊版釋義中不準確成分的置換共涉及 34 條。如：

【放黜】

舊版：〈書〉放逐；斥退。（P358）

新版：〈書〉放逐；黜免。（P389）

【抱[1]】

舊版：③領養（孩子）。（P49）

新版：③抱養（孩子）。（P52）

例“放黜”有罷免的意思，舊版以“斥退”作爲其近義詞顯然是不準確的，新版予以修正。“抱[1]”舊版釋義中“領養”一詞常用在比較正式的語境中，而“抱[1]”常用在口語中，新版選用的語詞“抱養”較之舊版更爲恰當。語詞式釋義計量統計結果見表 3.11

表 3.11

類　　別	增　加	刪　減	置　換
義 項 數	31	14	34
百分比%	39.24	17.72	43.04
例　　詞	超出、致④	抒發、看②	放黜、抱[1]

動詞性詞語語詞式釋義的修訂共涉及 79 條義項。從修訂形式上來說，以置換爲主，增加次之，刪減最少。從內容上來說，語詞的增加主要是從不同的角補充原來釋義中的遺漏之處；語詞的刪減和置換，主要是對釋義中不準確、不恰當詞語進行改動。

（三）特殊類型的修訂

特殊類型的修訂即包括比喻義、借指義、泛指義、特指義、原義等的增刪，共涉及 70 條義項，占 6.97%，相對於名詞詞語特殊類型的修訂，動詞性詞語特殊類型的修訂比較簡單。

1.比喻義的增加與刪減

（1）比喻義的增加

比喻義的增加涉及 10 條義項，包括舊版沒有比喻義，新版增加比喻義 3 條，舊版原有比喻義，新版再增加比喻義 5 條，舊版只說明有比喻用法，新版增加比喻義的 2 條。如：

【打冷槍】

舊版：藏在暗處向沒有防備的人突然開槍。（P227）

新版：藏在暗處向沒有防備的人突然開槍。比喻暗算別人。（P245）

【潑冷水】

舊版：比喻打擊人的熱情。（P982）

新版：比喻打擊人的熱情或讓人頭腦清醒。（P1057）

【過關】

舊版：通過關口，多用於比喻。（P485）

新版：通過關口，多比喻經審核，達到要求而獲得通過或認可。（P525）

（2）比喻義的刪減

比喻義的刪減只涉及 1 條義項。如：

【進門】

舊版：②比喻初步得到門徑；入門。（P659）

新版：②入門；摸門兒。（P712）

2.借指義的增加與刪減

（1）借指義的增加

借指義的增加涉及 1 條義項。如

【捧腹】

舊版：捧著肚子。形容大笑。（P961）

新版：捧著肚子，形容大笑的樣子，也借指大笑。（P1033）

（2）借指義的刪減

借指義的刪減涉及 1 條義項。如：

【掣帶】

舊版：攜帶；帶領。借指提拔。（P1024）

新版：攜帶；帶領。（P1103）

3.特指義的增加與刪減

（1）特指義的增加

特指義的增加涉及 4 條義項。如：

【叛逃】

舊版：背叛逃亡。（P950）

新版：背叛逃亡，特指叛國出逃。（P1022）

（2）特指義的刪減

特指義的刪減涉及 3 條義項。如：

【退押】

舊版：退還押金。特指土地改革時期使地主退還佃戶所繳的押金。（P1283）

新版：退還押金。（P1387）

4.泛指義的增加與刪減

（1）泛指義的增加

泛指義的增加涉及 11 條義項。

【退夥[1]】

舊版：舊時指退出幫會。（P1283）

新版：舊時指退幫會，也泛指退出某個團體。（P1387）

（2）泛指義的刪減

泛指義的刪減涉及 3 條義項。如：

【落標】

舊版：指在招標中沒有中標。泛指在競爭中失敗。（P838）

新版：指在招標中沒有中標。（P902）

5.（多、通常）等指義的增加與刪減

（1）（多、通常）等指義的增加

此特殊類型意義的增加涉及 13 條義項。如：

【動心】

舊版：思想、感情發生波動。（P303）

新版：思想、感情發生波動，多指產生某種動機、欲望等。（P328）

（2）（多、通常）等指義的刪減

此特殊類型意義的刪減，涉及 5 條義項。如：

【倒賣】

舊版：低價買進，高價賣出。多指投機倒把。（P255）

新版：低價買進，高價賣出。（P277）

6.原義的增補與刪減

（1）原義的增加

動詞性詞語釋義中原義的增補，共涉及 16 條義項。如：

【吃小灶】

舊版：比喻享受特殊照顧。（P166）

新版：吃小灶做的相對較好的飯食，比喻享受特殊照顧。（P180）

【強渡】

舊版：用炮火掩護強行渡過敵人防守的江河。（P1017）

新版：強行渡過，多指用炮火掩護強行渡過敵人防守的江河。（P1095）

例“吃小灶”新版補充本義，表明其比喻義的由來。“強渡”的字面義“強行渡過”也很常用，新版予以補充。

（2）原義的刪減

原義的刪減只涉及 2 條。如：

【全武行】②

舊版：指打群架，泛指進行暴力行動。（P1050）

新版：泛指進行暴力行爲（多指人多的）。（P1132）

特殊類型修訂的計量統計見表 3.12

表 3.12

類別	增補	刪減	合計	百分比%
比喻義	10	1	11	15.72
借指義	1	1	2	2.86
特指義	4	3	7	10.00
泛指義	11	3	14	20.00
多、通常等指義	13	5	18	25.71
原　義	16	2	18	25.71

特殊類型修訂的共涉及 70 條義項，最主要的是新版對舊版（多、通常）等指義和原義的修訂，占特殊類修訂的 25.71%；泛指義的增刪排第三，占 20%；比喻義的增刪排第四，占 15.72%；特指義增刪，占 10%；借指義的增補最少，只涉及 2 條義項，占 2.86%。從修訂的形式來說，以增加爲主，共涉及 55 條，以刪減爲輔，只涉及 15 條。

（四）釋義模式的修訂

動詞性詞語釋義模式的變化，共涉及 110 條義項，占動詞性詞語修訂總量的 10.95%。

1.語詞式 — 擴展式

語詞式釋義轉變爲擴展式釋義共涉及 34 條義項，有以下兩種情況：

（1）新版增加詞義成分，使語詞式轉化為擴展式

舊版有些釋義中對詞語中所包含語素義解釋的不完整，新版增加詞義成分，使語詞式轉化爲擴展式，涉及 8 條義項。如：

【敦促】

舊版：催促。（P321）

新版：懇切地催促。（P347）

【拆毀】

舊版：拆除。（P134）

新版：拆除毀壞。（P145）

“敦促”舊版釋義只解釋了“促”的語素義，而表示“誠懇”義的“敦”卻沒有被解釋，新版予以補充。“拆毀”舊版只表示了“拆”的意義，而“毀”的意義沒有被解釋出來，新版予以補充。

（2）新版置換舊版的詞義成分，使語詞式轉化為擴展式

舊版有些語詞釋義不能清晰的反映被釋詞語的意義，新版置換舊版的詞義成分，使語詞式轉化爲擴展式，涉及 26 條義項。如：

【用心 2】

舊版：居心；存心。（P1518）

新版：懷著的某種念頭。（P1643）

2.擴展式 — 語詞式

擴展式釋義轉變爲語詞式釋義，共涉及 28 條義項，有以下兩種情況：

（1）新版刪減詞義成分，使擴展式轉化為語詞式

舊版釋義範圍過寬或對詞語中語素義的把握不準確，新版刪減詞義成分，使擴展式轉化爲語詞式，涉及 14 條義項。如：

【懲罰】

舊版：嚴厲地處罰。（P163）

新版：處罰。（P178）

【生養】

舊版：生育撫養。（P1131）

新版：生育。（P1221）

（2）新版置換舊版的詞義成分，使擴展式轉化為語詞式

新版置換舊版的詞義成分，使擴展式轉化爲語詞式，涉及 14 條義項。

【引導】②

舊版：帶著人向某個目標行動：（P1503）

新版：指引；誘導。（P1627）

3.一種模式轉變為混合式

一種模式轉變爲兩種模式涉及 29 條義項，包括語詞式轉變爲混合式涉及 19 條，擴展式轉變爲混合試涉及 10 條。如：

【觀風】

舊版：望風。（P463）

新版：觀察動靜以相機行事或告警；望風。（P502）

【發市】

舊版：〈方〉指商店第一天裏第一次成交。（P340）

新版：〈方〉指商店第一天裏第一次成交；開張②。（P368）

4.混合式轉變為一種模式

兩種模式轉變爲一種模式涉及 19 條義項，包括混合式轉變爲語詞式涉及 3 條，混合式轉變爲擴展式涉及 16 條。如：

【傳喚】

舊版：①傳話呼喚；招喚。（P193）

新版：①招呼。（P209）

【開闢】

舊版：①打開通路；創立。（P700）

新版：①打開通路。（P758）

釋義模式變化計量統計見表 3.13。

表 3.13

類　型	語詞 — 擴展	擴展 — 語詞	一種模式 — 混合	混合一種模式
義項數	34	28	29	19
百分比	30.91	25.45	26.36	17.28
例　詞	劑、社評	弊病、幾何	底線、義	界限、禕

動詞性詞語釋義模式修訂，共涉及 110 條義項。語詞轉變爲擴展式涉及義項最多，占此類修訂的 30.91%；一種模式轉變爲混合模式居第二，占 26.36%，其中語詞式轉變爲混合式的占主體；擴展式轉變爲語詞式居第三，占 25.45；混合式轉變爲一種模式涉及義項最少，占 17.28%，其中以混合式轉變爲擴展式占主要部分。

（五）動詞性詞語釋義結構的修訂

動詞性詞語釋義結構的變化，比之名詞性詞語釋義結構的變化，較爲複雜，共涉及義項 113 條，占 11.24%，分以下四種情況：

一種是，有的動詞，釋義爲體詞性偏正結構，新版改爲動詞性擴展式釋義，涉及 60 條義項。《現漢》中大部分動詞性詞語的釋義是謂詞性的，但是也有部分動詞的釋義結構爲體詞性的。釋義結構爲體詞性的釋義，往往強調的是被釋詞的類別或靜態的語義特徵。但是舊版中有些體詞性釋義結構不能夠反映被釋詞語典型的語義、語法特徵，或舊版對被釋詞的語法屬性的判斷本就有偏差，新版則予以修正，改變其釋義結構，採用謂詞性擴展式釋義。如：

【函授】

舊版：以通信輔導爲主的教學方式（區別於“面授”）。（P494）

新版：以通信輔導爲主進行教學。（P535）

【佈局】

舊版：②圍棋、象棋競賽中指一局棋的開始階段。（P111）

新版：①圍棋、象棋競賽中指一局棋開始階段佈置棋子。（P119）

【開恩】

舊版：請求人寬恕或施與恩惠的用語。（P698）

新版：給予寬恕；施與恩惠（多用於向人求情）：求您開恩，饒了我這回。（P755）

“函授”表示較爲抽象的行爲，舊版體詞性釋義未能呈現其作爲動詞的典型語義特徵，新版予以更正。“開恩”舊版表明了其被釋詞的身份，卻忽略了它作爲動詞的主要語義特徵。“佈局”表示具體的動作行爲，舊版釋義將其作爲名詞解釋，顯然不妥。

一種是，有的動詞，釋義爲擴展式結構，新版改爲體詞性偏正結構，只涉及 9 條義項。對於有些動詞而言，找到恰當的類詞語及種差比單獨用擴展式結構釋義更能體現被釋詞的典型語義特徵。如：

【認證】

舊版：公證機關對當事人提出的文件審查屬實後給予證明。

（P1067）

新版：證明產品、技術成果等達到某種品質標準的合格評定。通常由國家品質監督機構或其授權的品質評定機構進行驗證。（P1150）

【反潛】

舊版：對潛入一定海域的敵潛艇進行搜索、封鎖、限制或消滅等戰鬥行動。（P349）

新版：對敵潛艇進行搜索、攻擊的戰鬥行動。（P378）

"認證" 主要是合格評定的一種，新版釋義突出了 "認證" 的作用，比之舊版釋義更恰當。"反潛" 爲一種 "戰鬥行動"，新版釋義比之舊版釋義更加簡潔、清楚、易懂。

第三種是，有的動詞，釋文結構爲形容詞性的，新版改爲動詞性擴展式釋義，共涉及36條義項。大部分動詞性詞語釋義和形容詞性詞語的釋義方式都屬於謂詞性釋義，但是謂詞性擴展式釋義大都是對被釋詞所指的動作、行爲的說明，而形容詞性詞語釋義大都是對被釋詞的性質、狀態的描寫，兩者不可混淆。舊版有些詞語的釋義，應爲擴展性釋義，卻被處理爲形容詞性詞語的釋義，新版予以更正。如：

【獨身】

舊版：②不結婚的。（P310）

新版：②動詞，指成年人沒有結婚。（P336）

【嗚咽】②

舊版：形容淒切的水聲或絲竹聲。（P1326）

新版：（流水、絲竹等）發出淒切的聲音。（P1436）

【反目】

舊版：不和睦（多指夫妻）。（P349）

新版：由和睦變爲不和睦。（P378）

例“獨身”爲動詞，新版處理爲形容詞，有些不妥。“嗚咽”指某物發出淒切的聲音，重在表示動作行爲，而不是重在形容聲音淒切。“反目”舊版以“不”+反義詞的釋義模式將被釋詞處理爲形容詞，新版則表現出“反目”的作爲動詞的語義特徵，即有由“和睦”變爲“不和睦”表示變化的過程。

第四種是，有些動詞，舊版釋義中含有多種釋義結構或含糊不清，新版修正爲擴展式的釋義，涉及 8 條義項。如：

【累世】

舊版：數世；接連幾個世代。（P765）

新版：接連幾個世代。（P826）

【附帶】

舊版：①另外有所補充的；順便。（P394）

新版：①另外有所補充。（P427）

“累世”爲動詞，舊版卻以名詞性的語詞“數世”爲其近義詞，不太恰當，新版予以刪除。“附帶”爲動詞，舊版卻以形容詞性的釋語和副詞來釋義，顯然不合適，新版予以修正。

（六）動詞性詞語釋義修訂小結

動詞性詞語釋義修訂共涉及義項 1005 條，具體計量結果見表 3.14。

表 3.14

修訂類別	擴展式	語詞式	特殊類型	模式變化	結構變化
義 項 數	633	79	70	110	113
百分比%	62.99	7.86	6.97	10.95	11.24
例　　詞	人權、考生	風、機遇	新紀元、矛頭	劑、弊病	隨記、老牌

動詞性詞語釋義修訂，以擴展式釋義修訂最多，占修訂總量的 62.99%；其次爲釋義結構的變化占 11.24%；釋義模式變化占 10.95%；語詞式釋義修訂占 7.86%；特殊類型的修訂涉及義項最少，占 6.97%。動詞性詞語釋義修訂有以下幾個特點：

一是：擴展式釋義的修訂在動詞性詞語釋義修訂中最多，占 62.99%。在釋義模式修訂中，也是語詞式轉變爲擴展式居多。即便在釋義結構變化中，也是其他釋義結構轉變爲動詞性擴展式釋義結構占絕對優勢。這也證明了動詞性詞語釋義中以擴展式釋義模式占主體的觀點。

二是：擴展式釋義各詞義成分單純變化的數量很少，即主體、動作行爲、物件及它們各自的限制語，還有原因條件、目的結果這幾種詞義成分加起來的修訂數量只占到擴展式釋義修訂的 53.71%，而各成分的綜合調整就占了 46.29%，說明擴展式釋義的修訂重點在於各成分的綜合調整。

三是：在特殊類型的修訂中，動詞性詞語釋義修訂與名詞性詞語釋義修訂一樣，都是“現、多、通常”等指義以及原義和泛指義的增刪居多，比喻義、借指義、特指義的增少較少。

四是：除擴展式釋義外，動詞性詞語釋義中其方面的修訂比較均衡，釋義修訂主要目的即是對釋義的拾遺補闕，使釋義更加準確、規範、科學。

五是：在修訂方式上，動詞性詞語釋義的修訂方式還是以增補爲主。首先擴展式釋義內部各成分的單純修訂是以增補爲主的，所以我們推測在各成份綜合修訂中也是以增補爲主；其次，雖然在語詞式釋義和特殊類型的修訂中，增補並不是最多的，但是增補、置換、刪減三種手段運用地比較均衡。所以我們認爲動詞性詞語釋義的修訂方式還是以增補爲主。

三、形容詞性詞語釋義的修訂

形容詞性詞語，主要是表示人或物的性質特徵、狀態或對人、物、自然現象、社會現象等的評價。根據符淮清先生的觀點，表性狀詞語的釋義最主要的有三種即："（適用物件）+性狀的說明描寫"式，"形容……"式，"……的"式。[15]據考察，形容詞性詞語的釋義模式也基本符合上述三種類型。此外，語詞式，准定義式和定義式也在我們考察範圍之內。形容詞性詞語釋義的修訂涉及 354 條義項，修訂類型十分豐富。

（一）"（適用物件）+性狀的說明描寫"式釋義的修訂

"（適用物件）+性狀的說明描寫"式釋義語法結構可看作主謂式，"適用物件"爲主語， "性狀說明描寫"是謂語。"（適用物件）+性狀的說明描寫"式釋義修訂共涉及 82 條義項，占形容詞性詞語釋義總量的 23.16%，其中適用物件的修訂很少，性狀說明描寫的修訂是這部分的主體。

1.適用對象的修訂

新版適用物件的修訂，只涉及增補與置換兩種類型，共涉及

15 符淮青：《詞典學詞彙學語義學文集》，第 58 頁，商務印書館，2004。

5 條義項，包括適用對象的增補 3 條，適用對象的置換 2 條。如：

【漂浮】

舊版：②比喻工作不塌實，不深入。（P971）

新版：②比喻工作、學習等不踏實，不深入。（P1044）

【濃墨重彩】

舊版：指敘事或描寫著墨多。（P936）

新版：指繪畫或描述著墨多。（P1006）

2.性狀的說明描寫的修訂

性狀的說明描寫的修訂共涉及 57 條義項，包括性狀說明描寫的增補、刪減、改換、以及綜合調整。

（1）性狀的說明描寫的增補

性狀的說明描寫的增補共涉及 15 條義項，有兩種情況：一種是性狀說明描寫以語詞的形式增加，涉及 9 條義項，其中有 3 條是表示並列成份的增補，6 條是按照語序排列成份的增補；一種是，性狀說明描寫以語段的形式增加，即增加的語段與原釋語形成並列關係，以“；”隔開，涉及 6 條義項。如：

【稀少】

舊版：事物出現得少。（P1345）

新版：事物存在或出現得少。（P1456）

【少相】

舊版：相貌顯得年輕。（P1113）

新版：相貌顯得比實際年齡年輕。（P1201）

【精深】

舊版：（學問或理論）精密深奧。（P667）

新版：（學問或理論）精密深奧；精湛高深。（P721）

例“稀少”不僅指事物出現得少，還指事物存在得少，舊版釋義不完整，新版本予以補充。“少相”舊版釋義所指範圍有些寬泛，新版對此進行補充限制，釋義更加準確。“精深”新版以增補語段的形式補充舊版缺失的詞義成分。

（2）性狀說明描寫的刪減

性狀描寫的刪減，共涉及 7 條義項。其中，以語詞形式刪減的成分涉及 6 條，包括表示並列成份的刪減 2 條，按照語序排列成份的刪減 4 條；以語段形式刪減的成分只涉及 1 條。

【薄弱】

舊版：容易挫折、破壞或動搖；不雄厚；不堅強。（P98）

新版：容易破壞或動搖；不雄厚；不堅強。（P106）

【詫異】

舊版：覺得十分奇怪。（P133）

新版：覺得奇怪。（P144）

【驚喜】

舊版：驚和喜；又驚又喜。（P666）

新版：又驚又喜。（P719）

例“薄弱”舊版釋義表述中表示並列成分的“挫折”不恰當，新版予以刪除。例“詫異”舊版釋義性狀說明描寫成分對被釋詞的限制力過強，新版刪減“十分”。“驚喜”舊版釋義中“驚和喜”顯得多餘，新版予以刪減。

（3）性狀描寫的置換

性狀描寫的改換共涉及 35 條義項，包括性狀說明描寫的部分釋語和全部釋語的置換，使釋義更加準確、規範。

【可口】（～兒）

舊版：食品、飲料適合口味或冷熱適宜。（P713）

新版：食品、飲料味道好或冷熱適宜。（P771）

【憨厚】

舊版：老實厚道。（P493）

新版：樸實厚道。（P534）

【玄妙】

舊版：奧妙難以捉摸（P1425）

新版：玄奧奇妙。（P1542）

例“可口”舊版釋義中“適合口味”表義含糊，新版以“味道好”替換。例“憨厚”詞義含有樸素的意思，舊版釋義中“老實”沒有突出這個語義特徵，新版以“樸實”換之。“玄妙”新版以語素義對釋的方式對性狀進行說明描寫，對舊版釋語進行全面置換。

（4）“（適用對象）+性狀的說明描寫”式釋義的綜合修訂

“（適用物件）+性狀的說明描寫式”釋義的綜合修訂是指兩種詞義成分同時修定或詞義成分修訂的方式不同。此類修訂共涉及 20 條義項。如：

【勇猛】

舊版：勇敢有力。（P1517）

新版：勇敢而氣勢強大。（P1642）

【大治】：形容詞

舊版：指國家政治安定，經濟繁榮。（P238）

新版：指國家政治穩定，社會安定，經濟繁榮。（P258）

例“勇猛”舊版釋義是語素義對釋，但是“有力”並沒有將“猛”的意義解釋清楚，新版置換爲“氣勢強大”，“氣勢”爲適用物件，“強大”爲性狀說明描寫內容。例“大治”舊版釋義中“政治安定”搭配不當，應爲“政治穩定”、“社會安定”較爲合適，新版予以更正。

（二）“形容……”式釋義的修訂

釋義中加上“形容”二字，一種情況是爲了說明被釋詞語是表性狀的，如：“笑哈哈：形容大笑的樣子”，如果釋義去掉“形容”，則會和名詞性詞語釋意相混淆；一種情況是爲了增強某種表情狀的意味，如：“沆 05：〈書〉形容水面遼闊”。“形容……”式釋義也包括物件和性狀的說明描寫兩部分，共涉及 36 條義項的修訂，占形容詞性詞語修訂總量的 10.17%。

1.適用對象的修訂

適用物件增加只有 3 條，2 條爲適用物件的增補，1 條爲適用對象的置換。如：

【入骨】

舊版：形容達到極點。（P1077）

新版：形容仇恨等達到極點。（P1161）

【空洞洞】（～的）狀態詞

舊版：形容房屋、場地等很空，沒有人或沒有東西。（P719）

新版：形容房屋、洞穴等很空，沒有人或沒有東西。（P778）

例“入骨”舊版缺少適用對象，新版增加“仇恨等”補充詞義成分。例“空洞洞”舊版釋義中適用物件爲“場地”不典型，新版以“洞穴”置換，更加切合被釋詞的典型語義特徵。

2.性狀說明描寫的修訂

性狀說明描寫的修訂只涉及增加和置換兩種類型，共涉及義項 15 條。

（1）性狀說明描寫的增加

性狀說明描寫的增補涉及 7 條義項，6 條表示並列成分的增補，1 條表示按照語序排列成份的增補。如：

【時髦】

舊版：形容人的裝飾衣著或其他事務入時：趕～。（P1144）

新版：形容人的裝飾衣著或其他事務新穎入時：趕～/～服飾/她穿戴很～。（P1235）

【笑哈哈】

舊版：形容笑的樣子。（P1390）

新版：狀態詞。形容大笑的樣子。（P1503）

例“時髦”新版增補表示並列的性狀描寫成分。“笑哈哈”新版增補“大”增強釋義的限制性，縮小釋義的所指範圍。

（2）性狀說明描寫的置換

性狀說明描寫的置換 8 條，使釋義更加準確。如：

【圓滑】

舊版：形容人只顧各方面敷衍討好，不負責任。（P1550）

新版：形容人善於敷衍討好，不負責任：八面玲瓏，處事.～。（P1677）

【渾渾噩噩】

舊版：形容混沌無知的樣子。（P569）

新版：形容無知無識、糊裏糊塗的樣子。（P615）

例“圓滑”舊版釋語“只顧”沒有顯示出被被釋詞的典型特徵，新版以“善於”置換。“渾渾噩噩”新版釋義更加具體、更能表現被釋詞的語義特徵。

3.“形容……”式內部形式的轉換

前面提到“形容……”有兩種情況，一種是“形容……”後加名詞性釋語，一種是“形容……”沒有名詞性釋語。這兩種形式也會互相轉變，涉及 15 條義項。如：

【慘然】

舊版：形容悲慘的樣子。（P121）

新版：形容內心悲慘。（P131）

【涔涔】①

舊版：〈書〉形容汗、淚、水等不斷地流下。（P127）

新版：〈書〉形容汗、淚、水等不斷往下流的樣子。（P138）

“慘然”明顯是表性狀的詞，所以不需要加“……樣子”。“涔涔”舊版的釋義缺乏表情狀的意味，新版加上“……的樣子”三字能顯示出被釋詞表示的是一種情狀，更爲恰當。

4.“形容……”式釋義的綜合修訂

“形容……”式釋義中綜合修訂只涉及 3 條義項。如：

【不卑不亢】

舊版：既不自卑，也不高傲。形容言行自然、得體。也說不亢不卑。（P101）

新版：既不自卑，也不高傲。形容待人態度得體，分寸恰當。也說不亢不卑。（P109）

“不卑不亢”中舊版“形容”之後的適用對象爲“言行”，新版置換爲“待人態度”；舊版的性狀描寫爲“自然、得體”，新版置換爲“得體，分寸恰當”。新版釋義更準確。

（三）“……的”式釋義的修訂

“……的”式釋義的一般用於形容詞的附類屬性詞，屬性詞只表示人或事物的特徵、屬性，有區別和分類的作用。“……的”式釋義只包括性狀描寫的內容的修訂，修訂方式也只包括增補與置換兩種類型，共涉及 13 條義項，占形容詞修訂總量的 3.67%。

1.性狀說明描寫的增補

性狀說明描寫的增補共涉及 7 條義項，有 2 條是表示並列成分的增加，1 條是按照語序排列成份的增補，還有 4 條涉及語段的增加。

【次】

舊版：酸根或化合物中少含兩個氧原子的。（P208）

新版：酸根或化合物中少含兩個氧原子或氫原子的。（P225）

【微型】

舊版：體積比同類的東西小的。（P1307）

新版：體積比同類的東西小得多的。（P1414）

【積極】

舊版：肯定的；正面的（跟“消極”相對，多用於抽象事物）。（P584）

新版：肯定的；正面的；有利於發展的（跟“消極”相對，多用於抽象事物）。（P630）

例“次”爲非詞語素，但其釋義模式是形容詞性的，舊版釋義缺少詞義成分，新版予增加表示並列的性狀描寫成分，予以補充。例“微型”新版釋義對“小”的程度加以了限制，“微型”不僅表示體積比同類東西小，關鍵是要表示“小得多”這一語義特徵。“積極”新版以語段的形式補充舊版缺漏的意義。

2.性狀說明描寫的置換

性狀說明描寫的置換共涉及 6 條義項，使釋義更加合理、規範。如：

【高貴】③

舊版：指地位特殊、生活享受優越的。（P416）

新版：指地位高、生活享受優越的。（P451）

【浮泛】③

舊版：表面的；不切實的。（P387）

新版：浮淺而不深入的；不切實的。（P421）

例“高貴”舊版釋義中“地位特殊”不代表地位高，所以新版予以置換。“浮泛”舊版釋義的其中一個語段比較含糊，新版語義清晰明確。

（四）語詞式釋義的修訂

語詞式釋義修訂涉及 29 條義項，占形容詞性詞語修訂總量的 8.19%。有部分語詞的增刪改，涉及了被釋詞的語法屬性的問題，不在此討論，歸入釋義結構修訂中分析。

1.語詞的增補

語詞的增補是涉及 14 條義項，其中有 12 條是增補與舊版同義或近義的詞語，2 條涉及“否定詞+反義詞”的增補。如：

【泛泛】形容詞

舊版：①不深入。（P352）

新版：①不深入；浮淺。（P38）

【鬆快】②

舊版：寬敞。（P1199）

新版：寬敞；不擁擠。（P1296）

2.語詞的刪減

語詞的刪減只涉及只涉及 1 條。如：

【樸質】

舊版：純真樸實；不矯飾；質樸。（P989）

新版：純真樸實；不矯飾；。（P1063）

3.語詞的改換

新版對舊版釋義中不準確、不恰當成分的置換共涉及 14 條。如：

【沉滯】

舊版：〈書〉凝滯。（P154）

新版：〈書〉遲鈍，不靈活。（P167）

（五）准定義式釋義的修訂

准定義式釋義的修訂僅限於顏色詞的修訂，共涉及 4 條義項，只占形容詞性詞語的 1.13%，包括語義特徵的刪減 3 條，語義特徵的置換 1 條。如：

【紅】

舊版：①像鮮血或石榴花的顏色。（P520）

新版：①像鮮血的顏色。（P563）

【黑】

舊版：①像煤或墨的顏色，是物體完全吸收日光或與日光相似的光線時所呈現的顏色（跟“白”相對）。（P514）

新版：①像煤或墨的顏色（跟“白”相對）。（P556）

【灰】

舊版：④像木柴灰的顏色，介於黑色和白色之間。（P558）

新版：④像草木灰的顏色，介於黑色和白色之間。（P603）

“紅”舊版釋義中以“石榴花”的顏色不僅僅有紅色，還有白色和黃色，舊版釋義顯然不轉確。新版予以更正。“黑”舊版釋義中有部分語義特徵並不典型，舊版予以刪除。

（六）定義式釋義的修訂

形容詞性詞語也有以定義式釋義的情況，但是數量不多，新版對其修訂也只涉及 2 條義項占 0.56%。均是對種差的增補。如：

【卵生】

舊版：動物由脫離母體的卵孵化出來，叫做卵生。（P830）

新版：屬性詞。動物由脫離母體的卵孵化出來，這種生殖方式叫做卵生。卵生動物胚胎發育全靠卵中的營養。（P895）

此外，形容詞性詞語的各類釋義模式中，除卻我們以上分析的幾種成分外，還有一些比如分類列舉、文化淵源、語用資訊等。新版對此也進行了修訂，只涉及 5 條義項，占形容詞修訂總量的 1.41%。如：

【狼狽】

舊版：傳說狽是一種獸，前腿特別短，走路時要趴在狼身上，沒有狼，它就不能行動，所以用‘狼狽’形容困苦或受窘的樣子。（P752）

新版：形容困苦或受窘的樣子。（P813）

形容詞性詞語各模式內詞義成分計量統計見表 3.15

表 3.15

<table>
<tr><td colspan="2">各模式內部詞義成分</td><td>增加</td><td>刪減</td><td>置換</td><td>其他</td><td>合計</td></tr>
<tr><td rowspan="2">“（適用對象）+性狀說明”描寫式</td><td>適用對象</td><td>3</td><td>-</td><td>2</td><td rowspan="2">20</td><td rowspan="2">82</td></tr>
<tr><td>性狀說明描寫</td><td>15</td><td>7</td><td>35</td></tr>
<tr><td rowspan="2">“形容……”式</td><td>適用對象</td><td>2</td><td>-</td><td>1</td><td rowspan="2">18</td><td rowspan="2">36</td></tr>
<tr><td>性狀說明描寫</td><td>7</td><td>-</td><td>8</td></tr>
<tr><td>“……的”式</td><td>性狀說明描寫</td><td>7</td><td>-</td><td>6</td><td>-</td><td>13</td></tr>
<tr><td>准定義式</td><td>語義特徵</td><td>3</td><td>-</td><td>1</td><td>-</td><td>4</td></tr>
<tr><td>定義式</td><td>種　差</td><td>2</td><td>-</td><td>-</td><td>-</td><td>2</td></tr>
<tr><td colspan="2">語詞式</td><td>14</td><td>1</td><td>14</td><td>-</td><td>29</td></tr>
<tr><td colspan="2">各釋義模式中其他詞義成分</td><td>1</td><td>3</td><td>1</td><td>-</td><td>5</td></tr>
<tr><td colspan="2">合　計</td><td>54</td><td>11</td><td>68</td><td>38</td><td>171</td></tr>
<tr><td colspan="2">百分比%</td><td>31.58</td><td>6.43</td><td>39.77</td><td>22.22</td><td>100</td></tr>
</table>

注：此表縱列中的“其他”表示各模式內詞義成分的綜合調整，以及“形容……”式中兩種形式的轉換。

形容詞性詞語釋義各模式內的修訂共涉及義項 171 條。從修訂內容上來說“（適用物件）+性狀說明描寫”式釋義修訂最多，涉及 82 條義項，其中主要是表示性狀描寫的詞義成分的調整；“形容……”式釋義修訂居其次，涉及 36 條義項，其中主要是模式內部兩種釋義表述形式的轉換；語詞式釋義修訂居第三，涉及 29 條義項；“……的”式釋義修訂居第四，涉及 13 條義項；准定義式、定義式、以及其他成分的調整涉及義項很少。

從修訂方式上來說，各釋義模式內詞義成分的調整以置換最多，增加次之，其他情況居第三，而刪減最少。

（七）特殊類型的修訂

形容詞性詞語釋義中特殊類型的變化，涉及的義項很少，只有 5 條，占形容詞性詞語釋義修訂的 1.41%，其中比喻義的增加涉及 4 條義項，泛指義的增加涉及 1 條義項。如：

【嚴絲合縫】

舊版：指縫隙密合。（P1445）

新版：指縫隙密合，也用來比喻言行周密，沒有一點漏洞。（P1564）

【大逆不道】

舊版：封建統治者對反抗封建統治、背叛封建禮教的人所加的重大的罪名。（P235）

新版：封建統治者對反抗封建統治、背叛封建禮教的人所加的重大的罪名。現泛指叛逆而不合于正道。（P254）

（八）釋義模式的修訂

形容詞性詞語釋義模式很多，它們之間的轉換也自然比較複雜。據統計，釋義模式轉換涉及 112 條義項，占形容詞性詞語釋義修訂的 31.64%，居首位。

1.“（適用物件）+性狀的說明描寫”式－“……的”模式（11 條）

“（適用對象）+性狀的說明描寫”轉變爲“……的”主要是突出被釋詞作爲屬性詞的語法屬性。如：

【速效】

舊版：見效快。（P1205）

新版：②屬性詞：快速顯示效果的。（P1302）

2.語詞式 — “……的”模式（3 條）

語詞式釋義轉變爲“……的”模式也是爲了突出被釋詞作爲屬性詞的語法屬性的修訂。如：

【全盤】

舊版：全部；全面（多用於抽象事物）。（P1049）

新版：全部的；全面的（多用於抽象事物）。（P1131）

3.准定義式 — “……的”模式（10 條）

舊版處理爲准定義式釋義的形容詞易被誤認爲名詞，新版予以修正。如：

【隔山】

舊版：指同父異母的兄弟姐妹之間的關係。（P425）

新版：指同父異母的（兄弟姐妹）。（P461）

4.“……的”式 — 語詞式（7 條）

【一切】①

舊版：全部的。（P1477）

新版：全部；各種。（P1598）

5.“（適用物件）+性狀的說明描寫” — 語詞式（4 條）

“（適用物件）+性狀的說明描寫”式釋義轉變爲語詞釋義，即通過置換或刪減詞義成分轉換釋義模式。如：

【愜懷】

舊版：心中滿意。（P1024）

新版：稱心；滿意。（P1103）

【酸】④

舊版：譏諷文人迂腐。（P1206）

新版：迂腐（多用於譏諷文人）。（P1304）

6.准定義式 — 語詞式（1 條）

【陽剛】

舊版：指男子在風度、氣概、體魄等方面表現出來的剛強氣質。（P1456）

新版：①（男子風度、氣概、體魄）剛強（跟“陰柔”相對）。

（P1576）

7.語詞式 — “（適用物件）+性狀說明描寫”式（10 條）

語詞式轉變“（適用對象）+性狀說明描寫”式涉及義項較多，新版主要通過增加“適用對象”、補充或置換性狀的說明描寫成分，轉換釋義模式。如：

【後生】

舊版：②年輕。（P527）

新版：②相貌年輕。（P570）

【過細】

舊版：仔細。（P487）

新版：十分仔細。（P527）

【吉慶】

舊版：吉祥。（P589）

新版：吉利喜慶。（P635）

“後生”新版增補適用對象“相貌”，使釋義更加完整。“過細”舊版釋義沒有將“過”的語素義解釋出來，新版予以補充。“吉慶”舊版釋義沒有將“慶”的語素義解釋出來，釋義不完整，新版予以增補。

8.准定義式 — “（適用物件）+性狀說明描寫”式（14 條）

舊版有些詞語的准定義式釋義不能表現被釋詞語的典型特徵，新版將其轉變爲“（適用物件）+性狀說明描寫”式。如：

【昏黃】

舊版：暗淡模糊的黃色（多用於天色、燈光等）。（P568）

新版：黃而暗淡模糊（多用於天色、燈光等）。（P614）

【苦澀】①

舊版：又苦有澀的味道。（P728）

新版：（味道）又苦又澀。（P788）

9.“形容……”式 — “（適用物件）+性狀說明描寫式”（2 條）

【亦莊亦諧】

舊版：形容既莊重，又詼諧。（P1492）

新版：（講話或文章的內容）既莊重，又風趣。（P1614）

10.“的……”式 — “（適用物件）+性狀說明描寫式”（1 條）

【笨重】②

舊版：繁重而費力的。（P62）

新版：繁重而費力。（P66）

11.“（適用物件）+性狀說明描寫式” — 准定義式（3 條）

【賁】

舊版：裝飾得很美。（P70）

新版：裝飾得很美的樣子。（P75）

12.“（適用物件）+性狀說明描寫式” — “形容……”式（7 條）

【蓬亂】

舊版：草、頭髮等鬆散雜亂。（P960）

新版：形容草、頭髮等鬆散雜亂。（P1033）

13.准定義 — “形容……”式（1 條）

【鮮紅】

舊版：鮮豔的紅色。（P1363）

新版：形容顏色紅而鮮豔。（P1474）

14.語詞式 — “形容……”式（1 條）

【空蕩蕩】

舊版：空落落。（P719）

新版：形容房屋、場地等很空。（P778）

15.**舊版為一種釋義模式，新版轉變為混合式**

舊版爲一種釋義模式不能完全表明詞義，新版用兩種釋義模式來解釋，涉及 21 條。如：

【團結】

舊版：和睦；友好。（P1279）

新版：齊心協力，結合緊密；和睦。（P1383）

【一攬子】

舊版：對各種事情不加區別或不加選擇。（P1475）

新版：對各種事情不加區別或不加選擇；包攬一切的。（P1596）

16.**舊版為混合式，新版轉變為一種模式**

舊版用兩種釋義模式來釋義，新版減化爲一種釋義模式，共涉及 9 條義項。如：

【枉然】

舊版：得不到任何收穫；徒然。（P1302）

新版：得不到任何收穫；白費力氣。（P1409）

【錯愕】

舊版：倉促驚訝；驚愕。（P221）

新版：倉促間感到驚愕。（P239）

17.**特殊情況**

除卻以上幾種釋義模式的轉換之外，有一種情況比較特殊，即新版對舊版的修訂有矛盾的地方，共涉及 6 條義項，均屬顏色詞釋義模式的調整。如：

【果綠】

舊版：淺綠。（P483）

新版：淺綠色。（P523）

【靛藍】

舊版：①深藍色。（P287）

新版：①深藍。（P312）

如果我們將“果綠”的舊版釋義視爲定義式，即形容詞“綠”爲上位詞，表示類，“淺”爲種差。新版將其釋義改爲准定義式，即名詞“藍色”爲類。但是，再看“靛藍”釋義的修訂，與前例的修訂方式明顯是相反的，所以我們說，少數形容詞釋義模式的修訂不太統一，其他還有“湛藍”、“湖綠”、“墨綠”等。

釋義模式變化計量統計，見表 3.16

表 3.16

釋義模式變化類型	義項數
“（適用物件）+性狀的說明描寫” — “……的”	11
語詞式 — “……的”	3
准定義式 — “……的”	10
“……的” — 語詞式	7
“（適用物件）+性狀的說明描寫” — 語詞式	4
准定義一語詞式	1
語詞式 — “（適用物件）+性狀說明描寫式”	10
准定義式 — “（適用物件）+性狀說明描寫式”	14
“形容……” — “（適用物件）+性狀的說明描寫”	2
“……的” — “（適用物件）+性狀的說明描寫”	1
“（適用物件）+性狀說明描寫式” — 准定義式	3
“（適用物件）+性狀說明描寫式” — “形容……”	7
准定義 — “形容……”	1
語詞式 — “形容……”	1
一種釋義模式 — 混合式	22
混合式 — 一種模式（“（適用物件）+性狀說明描寫”式）	9
特殊情況	6
合　　計	105

形容詞性詞語釋義模式修訂涉及 112 條義項。從上表，我們可以很清楚的看出各釋義模式變化的情況。這裏我們想分析的是，釋義模式變化的趨勢，即形容詞性詞語釋義向哪一種釋義模式變化的最多。通過簡單的相加計算我們可以得出，其他模式轉換爲“（適用物件）+性狀說明描寫”式較多，加上由混合模式轉換成一種釋義模式的情況，共計 36 條；由其他模式向“……的”式轉換的也占多數，共涉及 24 條義項；一種模式轉換爲混合式的居第三，共涉及 22 條義項；其他模式轉換成語詞式的涉及 12 條義項；向“形容……”式轉換的涉及 9 條；其他模式向准定義式轉換的情況很少，只涉及 3 條義項。那麼我們可以說，在形容詞性詞語釋義模式轉換中，主要是向“（適用對象）+性狀說明描寫”和“……的”式轉變。

（九）形容詞性詞語釋義結構的修訂

形容詞性詞語釋義模式多樣，舊版有部分詞語的釋義超出了以上歸納的模式，易混淆被釋詞語的語法屬性，新版予以修正，共涉及 66 條義項，占形容詞性詞語釋義修訂總量的 18.64%，分爲以下四種情況：

一種是，舊版釋義結構爲動詞性擴展式結構，新版改爲形容詞性結構，共涉及 46 條義項。動詞性擴展式釋義雖然也是謂詞性釋義，但是它強調被釋詞所指的動作、行爲，而不是對性質、狀態的說明描寫。形容詞性詞語釋義中強調某種動作行爲，會讓人誤解其語法屬性，所以新版予以修正。如：

【做作】

舊版：故意做出某種表情、腔調等。（P1689）

新版：故意做出某種表情、腔調而顯得虛假、不自然：他的表演太～。（P1830）

【聲控】

舊版：用聲音控制。（P1132）

新版：屬性詞，用聲音控制的。（P1222）

“做作”、“聲控”舊版的釋義明顯爲動詞性擴展性釋義，新版釋義更符合被釋詞語

一種是，舊版釋語爲名詞，新版改爲形容詞性結構，涉及 6 條義項。形容詞性釋義結構中本就包含體詞性偏正結構釋義即准定義式，所以這裏結構的變化指舊版爲語詞式釋義，即以名詞釋形容詞，新版予以修正。如：

【老齡】

舊版：老年。（P759）

新版：老年的。（P819）

【臨時】②

舊版：②暫時；短期。（P800）

新版：②屬性詞，暫時的；短期的。（P863）

一種是，舊版釋義中含有多種釋義結構或含糊不清，新版修正爲形容詞性的，涉及 11 條義項。如：

【了當】②

舊版：停當；完畢。（P794）

新版：停當；完備。（P857）

【權宜】

舊版：暫時適宜；變通。（P1048）

新版：暫時適宜；變通的。（P1130）

例“了當”舊版釋義中“停當“爲形容詞，“完畢”卻爲動詞，新版將其置換爲“完備”。“權宜”舊版釋義中“變通”爲動詞，新版本置換爲“變通的”更合理。

還有一種是，舊版釋義爲副詞的釋義模式，新版改爲形容詞性詞語釋義模式，涉及 3 條義項。如

【筆挺】

舊版：①很直地（立著）。（P67）

新版：①立得很直。（P71）

【欣然】

舊版：愉快地。（P1401）

新版：愉快的樣子（P1515）

（十）形容詞性詞語釋義修訂小結

形容詞性詞語釋義修訂涉及義項 354 條，以上內容是我們對這 354 條義項修訂的逐一分析與歸類，具體計量統計結果見表 3.17。

表 3.17

形容詞性詞語釋義變化類型	義項數	百分比%
“（適用物件）+性狀說明描寫”式	82	23.16
“形容……”式	36	10.17
“……的”	13	3.67
語詞式	29	8.19
准定義式	4	1.13
定義式	2	0.56
其他情況	5	1.41
特殊類型	5	1.41
釋義模式轉換	112	31.64
釋義結構轉換	66	18.64
合計	354	100

我們在此總結形容詞性詞語釋義修訂的同時，也將其和名詞性詞語、動詞性詞語釋義修訂，進行了比較，共有以下幾點：

一是，形容詞性詞語釋義修訂數量雖然不多，但是類型十分豐富，且其修訂的重點不在各釋義模式內部各詞義成分的修訂，而是重在釋義模式和釋義結構的調整。這一點，與名詞性詞語、動詞性詞語釋義修訂都不同。名詞性詞語釋義修訂中，以定義式釋義修訂爲主，並且定義式釋義中也是以單純詞義成分變化爲主，綜合調整爲輔。動詞性詞語釋義修訂中義擴展式修訂爲主，但其中卻是詞義成分的綜合調整爲主，詞義成分單純變化爲輔。

二是，形容詞性詞語最主要釋義模式爲“（適用物件）十性狀的說明描寫”式，語詞式、“形容……”式，“……的”式，也是常用模式，這四種模式內部詞義成分調整以及釋義模式轉換的趨向，也正好證明它們是形容詞性詞語釋義的主要模式。准定義式、定義式並不是主要的釋義模式，修訂涉及的義項也很少，共只涉及 6 條義項。另外，需要補充的是，形容詞性詞語的語詞式釋義修訂比例達到 8.19%，雖然數量不多，但卻高於其他兩個詞類中語詞式的修訂比例。

三是，特殊類型即比喻義、泛指義、特指義、也指義、原義等的修訂，涉及形容詞性詞語的數量很少，只有 5 條，內容上也只涉及比喻義和泛指義的修訂。這類體現詞義發展的釋義修訂，涉及義項最多的是名詞性詞語，共計條 112 條，其次爲動詞性詞語共計 70 條。

四是：形容詞性詞語釋義的修訂，涉及的大多爲一般語文性詞語，所以，釋義的修訂多也是對舊版中不完整、不規範、不準確地方的再完善，對其模式、結構的再調整。這一點與動詞性詞語釋義修訂比較相似。但是，我們並不是說形容詞性詞語、動詞性詞語釋義修訂不能反映時代的發展，只是數量較少而已。名詞性詞語中百科詞目較多，涉及日常生活中名物詞也較多，釋義修訂更能反映時代以及人們思想觀念等的發展。

五是：在增、刪、改這三種修訂方式上，形容詞性詞語釋義各模式內部的修訂是以置換爲主，這一點，與名詞性詞語、動詞性詞語釋義各模式內部的修訂以增加爲主有所區別。

四、名詞性、動詞性、形容詞性詞語釋義中括注的修訂

在詞典釋義中，除了要對詞語本身的概念意義作出解釋之外，還要對詞的附加色彩意義、語法意義、詞的搭配物件、所使用的語言環境做出解說，括注就是體現這部分內容的一種手段。符淮青先生認爲，在釋義中加括弧是說明詞的配合關係，並不將其看做詞義成分。[16]茲古斯塔則認爲“即使詞典編纂者認爲使用範圍不是詞義本身的構成成分，他也必須把它看作有關詞怎樣使用的具體規則，看作是該詞所指意義的一部分，結果反正一樣。”[17]我們認爲括注並不是釋義的主體部分，但是作用卻不容忽視，它是對被釋詞語或是釋義中某些成分的一種輔助性說明，是一種讓釋義更爲精確，讓被釋詞語的左項和右項更爲相近的手段。《現漢》在注音、釋義、用例中都運用到了括注。我們這裏討論的括注僅涉及釋義中與語義、語用、語法有關聯的括注，即不包括注音、用例方面括注，也不包括〈書〉、〈方〉、〈口〉等形式的括注。括注的運用是《現漢》走向精確化的必然需要，新版對括

16 符淮青：《詞典學詞彙學語義學文集》，第 80 頁，商務印書館，2004。
17 拉·茲古斯塔：《詞典學概論》，第 57 頁，商務印書館，1983。

注的修訂則是《現漢》精益求精的最有力的表現之一。

由於《現漢》中括注的運用有其自身的特點，所以我們將釋義中括注的修訂單立一章節討論，並按照括注的性質內容分類作計量分析。按照性質內容的不同，釋義中的括注可以分爲搭配性括注和附加性括注[18]。搭配性括注即括注內容與釋義主體有搭配關係，與釋義的主體構成一個短語或句子，例如“厚實：③（學問等）深厚扎實”，括注與詞義主體成分形成主謂短語；附加型括注即括注內容與釋義主體無語境搭配關係，它們是兩個（或多個）互相分離的句法單位，如：“狂熱：一時激起的極度熱情（多含貶義）”。據統計，新版對舊版詞語釋義中括注的修訂共涉及506條義項，包括括注的增刪減等變化，也包括括注內容的調整，其中搭配性括注的修訂涉及141條義項，附加型括注涉及358條義項，搭配型括注與附加型括注相互轉換涉及7條義項。

（一）搭配型括注的修訂

由於搭配型括注能夠與釋義主體構成一個短語或句子，所以在名、動、形詞語的釋義模式中搭配型括注有各自的特點。我們將按照詞類的不同，分析釋義中括注修訂的性質與作用。

1.動詞性詞語釋義中搭配型括注的修訂

動詞性詞語釋義中，搭配型括注的修訂涉及了物件內容、主體內容、限制語、原因目的的修訂，共計141條。這裏需要說明的是，物件內容、主體內容以及它們的限制語，以括注形式出現的時候，我們視爲一個整體，不再分開討論。

18 解正明：《〈現代漢語詞典〉釋義括注》[J]2001,優秀碩士學位論文。

（1）對象及其限制語的修訂

表示物件及其限制語括注的修訂共涉及 56 條義項，增加的涉及 13 條，刪減的涉及 10 條，置換的涉及 9 條，詞義成分與括注內容之間的轉換涉及 24 條。如：

a. 對象及其限制語的增加

物件的增加涉及 13 條義項，包括舊版沒有括注，新版增加括注，7 條；舊版已經有括注，新版增加括主內容 6 條。如：

【串演】

舊版：扮演。（P196）

新版：扮演（非本行當的戲曲角色）。（P212）

【賑濟】

舊版：用錢或衣服、糧食等救濟（災民）。（P1601）

新版：用錢或衣服、糧食等救濟（災民或貧困的人）。（P1733）

"串演"舊版中沒有括注，新版增加括注，補充物件及其限制語的內容，使釋義更爲準確。"賑濟"舊版本就有表物件內容的括注，但是，並不完整，新版增補括注內容，擴大釋義所指範圍。

b. 對象及其限制語的的刪減

對象及其限制語的刪減涉及 10 條義項，包括舊版原有括注，新版括注消失，9 條；舊版原有括注，新版只刪減部分括主內容，1 條。如：

【邂逅】

舊版：偶然遇見（久別的親友）。（P1396）

新版偶然遇見：不期而遇。（P1510）

【征管】

舊版：徵收管理（稅款、公糧等）。（P1729）

新版：徵收管理（稅款等）。（P1735）

“邂逅”的物件不一定是“久別的親友”，舊版加上這樣的搭配括注，反而限制了釋義的所指範圍，新版予以刪除。“征管”舊版括注中“公糧”已經不是典型的搭配，新版予以刪除。

c. 對象及其限制語的的置換

物件及其限制語的的置換，即新版原有括注，舊版置換括注內容，即選取更準確、更典型的搭配內容，共涉及 9 條義項。如：

【出任】

舊版：出來擔任（某種官職）。（P184）

新版：出來擔任（某種職位）。（P199）

【修築】

舊版：修建（道路、工事等）。（P1417）

新版：修建（道路、橋樑、房屋等）。（P1533）

d. 括注與釋義主要成分的轉換

括注內容與釋義主要成分的轉化分爲兩種情況：一種是，舊版原沒有括注形式，新版以括注形式表現原釋義主要成分；一種是，舊版原有括注，新版取消括注形式，保留括注內容。這裏對象及其限制語的修訂，只涉及第一種情況，共計 24 條。

【批駁】

舊版：批評或否決別人的意見、要求。（P962）

新版：批評或否決（別人的意見、要求）。（P1034）

【呈獻】

舊版：把實物或意見等恭敬地送給集體或敬愛的人。（P160）

新版：（把實物或意見等）恭敬地送給（集體或敬愛的人）。

（P174）

“批駁”、“呈現”舊版將對象視爲釋義的主要成分，而新版則將其視爲一種典型的搭配內容。

（2）主體及其限制語的修訂

主體及其限制語的的修訂共涉及 35 條，增加的涉及 12 條，刪減的涉及 10 條，置換的涉及 6 條，詞義成分與括注內容之間的轉換涉及 7 條。

a. 主體及其限制語增加

主體及其限制語增加涉及 12 條義項，包括舊版沒有括注，新版增加括注，6 條；舊版已經有括注，新版增加括主內容，6 條。

【重組】

舊版：重新組合。（P1693）

新版：（企業、機構）重新組合。（P190）

【在逃】

舊版：（犯人）已經逃走，還沒有捉到。（P1567）

新版：（犯人或犯罪嫌疑人）逃走，沒有被捉到。（P1695）

“重組”常與“企業”、“機構”搭配，舊版沒有涉及，新版予以補充。“在逃”的主體不僅包括“犯人”還包括“犯罪嫌疑人”，新版補充典型搭配，擴大釋義所指範圍。

b. 主體及其限制語的刪減

主體及其限制語刪減涉及 10 條義項，包括舊版原有括注，新版括注消失，8 條；舊版原有括注，新版刪減括主內容，2 條。如：

【待業】

舊版：（非農業戶口的人）等待就業。（P242）

新版：等待就業。（P262）

【飄動】

舊版：（隨風、波浪等）擺動；飄。（P972）

新版：（隨著風等）擺動；飄。（P1045）

“待業”的主體不一定就是“非農業戶口的人”，現在也有很多農村的轉移勞動力，有的也處於待業狀態中，所以新版刪減括注。“飄動”舊版括注中的主體“波浪”不典型，新版予以刪除。

c. 主體及其限制語的置換

主體及其限制語置換只涉及 6 條。如：

【上工】①

舊版：（工人、農民等）每天開始工作。（P1107）

新版：（從事集體勞動的人）每天開始工作。（P1195）

【回跌】

舊版：（商品價格）上漲後又往下降。（P560）

新版：（價格、指數）上漲後又往下降。（P606）

d. 括注與釋義主要成分的轉換

括注與釋義主要成分的轉換涉及 7 條義項，舊版原沒有括注形式，新版以括注形式表現原釋義主要成分涉及 4 條；舊版原有括注，新版取消括注形式，保留括注內容涉及 3 條。如：

【上裝[1]】

舊版：演員化裝。（P1110）

新版：（演員）化裝。（P1198）

【擱筆】

舊版：（寫作、繪畫）停筆；放下筆。（P422）

新版：指寫作、繪畫等停筆，不再進行。（P458）

“上裝[1]”的主體，並不一定是“演員”，“演員”只是一種典型的搭配，新版予以修正。“擱筆”的主體一般就是“寫作”、“繪畫”，新版在將括注成分變爲釋義主體成分後還加上“等”字，顯得更加完整。

（3）動作行為限制語的修訂

動作行爲限制語的的修訂共涉 6 條，增加的涉及 3 條，刪減的涉及 2 條，，詞義成分與括注內容之間的轉換涉及 1 條。

a. 限制語的增加

限制語成分的增加涉及 3 條義項，舊版沒有括注，新版增加括注，2 條；舊版原有括注，新版再增加括注內容，1 條。

【奔逃】

舊版：逃奔；逃跑。（P58）

新版：逃走（到別的地方）；逃跑。（P63）

【受洗】

舊版：（基督教徒）接受洗禮。（P1166）

新版：（基督教徒入教時）接受洗禮。（P1260）

“奔逃”沒有限制其逃奔的方向，新版以括注成分予以限制。“受洗”新版原有表示動作行爲主體的括注，新版再增加動作行爲的限制語。

b. 限制語的刪減

限制語刪減的涉及 2 條義項。如：

【標榜】

舊版：②（互相）吹噓；誇耀。（P81）

新版：②吹噓；誇耀。（P87）

“標榜”釋義中“吹噓”、誇耀“不一定是“互相”的，所以新版刪除此限制語。

c. 括注內容與釋義主要成分的轉換

括注內容與釋義主要成分的轉換，只涉及 1 條。

【哭泣】

舊版：（輕聲）哭。（P727）

新版：輕聲哭。（P787）

“哭泣”中“泣”的語素義即“小聲哭”的意思，所以“輕聲”這個修飾語應該作爲釋義主要成份出現，而不是以括注形式出現。

（4）原因、目的的修訂

動詞性詞語釋義中表示原因、目的的括注修訂只涉及 2 條義項，均是舊版原有括注，新版取消括注形式，保留括注內容。如：

【摸排】

舊版：爲偵破案件對一定範圍的人進行逐個摸底調查。（P1710）

新版：（爲偵破案件）對一定範圍的人進行逐個摸底調查。（P960）

【競拍】②

舊版：在拍賣中競相報價以取成爭交。（P1706）

新版：在拍賣中競相報價（以取成爭交）。（P726）

2.形容詞性詞語中的搭配型括注的修訂

形容詞性詞語中的搭配型括注的修訂共涉及 32 條義項，其中主要涉及適用對象的修訂，共計 31 條，性狀說明描寫的修訂只涉及 1 條。

（1）適用對象的修訂

a. 適用對象的增加

適用物件內容的增加涉及 13 條義項，包括舊版沒有括注，新版增加括注的 10 條；舊版已經有括注，新版增加括主內容，3 條。如：

【厚實】

舊版：③深厚扎實。（P528）

新版：③（學問等）深厚扎實。（P572）

【當紅】

舊版：（演員等）正走紅。（P1695）

新版：（演員、文藝作品等）正走紅。（P271）

“厚實”舊版沒有括注，釋義所指範圍顯得過大，新版增補括注更容易讓人把握詞義。“當紅”典型的適用物件，不僅僅指“演員”，也可以轉指“文藝作品”，新版予以補充。

b. 適用對象的刪減

適用物件的刪減涉及 4 條義項，包括舊版原有括注，新版括注消失的 3 條；舊版原有括注，新版刪減括主內容 1 條。如：

【遠】②

舊版：（血統關係）疏遠。（P1552）

新版：疏遠；關係不密切。（P1679）

【卑】③

舊版：（品質或品質）低劣。（P51）

新版：（品質）低劣。（P55）

“遠”舊版將其適用物件定位在“血統關係”有些狹隘，新版予以刪除。“卑”舊版釋義範圍有些寬泛，新版刪減括注中的適用物件內容“品質”，予以縮小。

c. 適用對象的置換

適用物件的置換涉及 5 條義項。如：

【寬闊】②

舊版：（思想）開朗，不狹隘。（P733）

新版：（心胸、見識等）開朗，不狹隘。（P793）

“寬闊”的搭配物件一般為“心胸”、“見識”等，舊版括注“思想”不合適，新版予以置換。

d. 括注內容與釋義主要成分的轉換

括注內容與釋義主要成分的轉換涉及 9 條義項，舊版原沒有括注形式，新版以括注形式表現原釋義主要成分涉及 7 條；舊版原有括注，新版取消括注形式，保留括注內容涉及 2 條。如：

【煩悶】

舊版：心情不暢快。（P346）

新版：（心情）不暢快。（P375）

【白濛濛】

舊版：形容（煙、霧、蒸氣等）白茫茫一片，模糊不清。（P24）

新版：形容煙、霧、蒸氣等白茫茫一片，模糊不清。（P26）

（2）性狀說明描寫的修訂

性狀說明描寫的修訂只涉及 1 條義項，即舊版原有括注，新版括注消失。如：

【差不多】

舊版：①（在程度、時間、距離等方面）相差有限；相近。（P133）

新版：①相差很少；相近。（P145）

3.名詞性詞語的搭配型括注的修訂

名詞性詞語的搭配型括注的修訂只包括種差內容的修訂，共涉及 10 條義項。

a. 種差內容的增加

適用物件的增加，涉及 4 條義項，均是舊版沒有括注，新版增加括注。如：

【升幅】

舊版：上升的幅度。（P1126）

新版：（價格、利潤、收入等）上升的幅度。（P1216）

b. 種差內容的刪減

種差的刪減，只涉及 2 條義項。如：

【短評】

舊版：（報刊上）簡短的評論。（P314）

新版：簡短的評論。（P340）

c. 種差內容的置換

種差的置換，只涉及 1 條義項。如：

【漲幅】

舊版：（物價等）上漲的幅度。（P1586）

新版：（價格等）上漲的幅度。（P1717）

d. 括注內容與釋義主要成分的轉換

名詞性詞語中括注內容與釋義主要成分的轉換涉及 3 條義項，舊版原沒有括注形式，新版以括注形式表現原釋義主體要分涉及 2 條；舊版原有括注，新版取消括注形式，保留括注內容涉及 1 條。如：

【助學金】

舊版：政府發給學生的補助金。（P1645）

新版：（政府、社會團體等）發給學生的困難補助金。（P1782）

【不等式】

舊版：表示兩個數（或兩個代數式）不相等的算式。（P103）

新版：表示兩個數或兩個代數式不相等的算式。（P111）

搭配型括注的計量統計，見下表 3.18。

表 3.18

<table>
<tr><th colspan="2">搭配式括注修訂</th><th>增加</th><th>刪減</th><th>置換</th><th>括注－主體</th><th colspan="2">合計</th><th>百分比%</th></tr>
<tr><td rowspan="4">動詞性詞語</td><td>對象及限制語</td><td>13</td><td>10</td><td>9</td><td>24</td><td>56</td><td rowspan="4">99</td><td rowspan="4">70.21</td></tr>
<tr><td>主體及限制語</td><td>12</td><td>10</td><td>6</td><td>7</td><td>35</td></tr>
<tr><td>動作行為限制語</td><td>3</td><td>2</td><td>-</td><td>1</td><td>6</td></tr>
<tr><td>原因、目的</td><td>-</td><td>-</td><td>-</td><td>2</td><td>2</td></tr>
<tr><td rowspan="2">形容詞性詞語</td><td>適用對象</td><td>13</td><td>4</td><td>5</td><td>9</td><td>31</td><td rowspan="2">32</td><td rowspan="2">22.70</td></tr>
<tr><td>性狀說明描寫</td><td>-</td><td>1</td><td>-</td><td>-</td><td>1</td></tr>
<tr><td colspan="2">名詞性詞語的種差</td><td>4</td><td>2</td><td>1</td><td>3</td><td colspan="2">10</td><td>7.09</td></tr>
<tr><td colspan="2">合　計</td><td>45</td><td>29</td><td>21</td><td>46</td><td colspan="2">141</td><td>100</td></tr>
</table>

搭配型括注的修訂共涉及 141 條義項，其中動詞性詞語的括注修訂最多，占 70.21%，最主要是對象及其限制語的修訂、主體及其限制語的修訂居其次；形容詞性詞語釋義括注修訂占 22.70%，主要是適用對象的修訂；名詞性詞語釋義括注的修訂最少，占 7.09%，均是釋義中種差內容的修訂。在修訂方式上，括注與釋義主要成份的轉換涉及義項最多，共計 46 條，應該引起我們重視；括注及括注內容的增加也不少，共涉及 45 條義項；括注及內容的刪減居第三，共涉及 29 條義項；括注內容的置換最少，涉及 21 條義項。

（二）附加型括注的修訂

附加型括注與釋義的主體相分離，其內容非常的豐富，在語用、語法、語義等方面對釋義都起到了輔助性作用。附加型括注能夠表示附加感情色彩義、表示詞語的語用資訊、表示意義相關的詞、表示詞語的產生的理據、表示對釋義的解釋說明舉例等等。我們將附加型括注分爲以下幾種情況：

1.表示附加感情色彩義的括注的修訂

表示附加感情色彩義的括注的修訂涉及 25 條。

（1）表示附加色彩義的括注的增加

表示附加色彩義的括注的增加包括貶義、卑賤意、輕視意、詼諧意、崇高意、戲虐意等共 19 條。其中，舊版沒有括注，新版說明詞語色彩義的涉及 16 條，舊版已經有括注，新版再補充說明色彩義的有 3 條。如：

【恩賜】

舊版：原指帝王給予賞賜，現泛指因憐憫而施捨。（P331）

新版：原指帝王給予賞賜，現泛指因憐憫而施捨（多含貶義）。（P358）

【老外】

舊版：②指外國人。（P760）

新版：②指外國人（含詼諧意）。（P821）

【天職】

舊版：應盡的職。（P1247）

新版：應盡的職責（含崇高意）。（P1349）

【一命嗚呼】

舊版：指死（含詼諧意）。（P1476）

新版：指死（含詼諧或譏諷意）。（P1597）

【小白臉兒】

舊版：指皮膚白而相貌好看的年輕男子（含戲謔意）。（P1383）

新版：指皮膚白而相貌好看的年輕男子（含戲謔意或輕視意）。（P1496）

例“恩賜”、“老外”、“天職”舊版釋義中均沒有呈現它們的附加色彩義，新版一一補充。“一命嗚呼”、“小白臉兒”舊版已經對色彩義有所說明，但是不太完整，新版從另一角度對色彩義加以補充。

（2）表示附加色彩義的括注的刪減

表示附加色彩義刪減，只涉及 3 條，均是對舊版括注消失。如：

【拿腔拿調】

舊版：指說話時故意用某中聲音、語氣（多含厭惡意）。（P907）

新版：指說話時故意裝出某中聲音、語氣。（P974）

【吟風弄月】

舊版：舊時有的詩人做詩愛用風花雪月作題材，因此稱這類題材的寫作爲吟風弄月。

（多含貶義）。（P1502）

新版：舊時有的詩人做詩愛用風花雪月作題材，因此稱這類題材的寫作爲吟風弄月。（P1625）

【乳臭】

舊版：奶腥氣（對年幼人表示輕蔑）。（P1077）

新版：奶腥氣。（P1161）

（3）表示附加色彩義的括注的置換

表示附加色彩義的括注的置換，只涉及 1 條。

【揚言】

舊版：故意說出要採取某種行動的話（多含貶義）。（P1455）

新版：有意傳出要採取某種行動的話（多含威脅意）。（P1575）

（4）括注與釋義主要成分的轉換

這裏括注與釋義主要成分的轉換只涉及 2 條義項。如：

【警花】

舊版：對年輕女員警的稱呼（含讚美意）。（P1705）

新版：對年輕女員警的美稱。（P724）

【哥們兒】

舊版：②用於朋友間，帶親熱地口氣。（P422）

新版：②稱同輩的朋友（帶親熱口氣）。（P458）

“警花”舊版以括注形式表示被釋詞的色彩，新版直接以類詞語“美稱”釋之。“哥們兒”舊版“帶親熱口氣”爲釋義主要成分，新版將其處理爲括注內容。

2.表示語用資訊的括注修訂

表示語用資訊的括注種類多樣，包括表示適用範圍的括注，常常以“多指義”出現，包括表示使用場合的括注，常以“多用於xx”、“多見於xx”出現，包括被釋詞在具體環境中的習慣用法，常以“多用於比喻”、“多用於否定式”等形式出現。表示語用資訊的括注修訂涉及 163 條義項。

（1）表示語用資訊的括注的增加

表示適用範圍的括注的增加涉及 53 條，其中舊版沒有表示語用資訊的括注，新版予以補充的涉及 45 條，舊版已經有括注表示語用的括注，新版再補充的涉及條 8 條。如：

【超標】

舊版：超過規定的標準。（P146）

新版：超過規定的標準（多指不好的方面）。（P158）

【大腕】

舊版：（～兒）指有名氣、有實力的人（多指文藝界的）。（P237）

新版：（～兒）指有名氣、有實力的人（多指文藝界、體育界的）。（P256）

【接見】

舊版：跟來的人見面。（P642）

新版：跟來的人見面（多用於主人接待客人或上級會見下屬）。（P693）

【罵陣】①

舊版年：在陣前叫罵，激怒敵方應戰（多見於舊小說）。（P845）

新版年：在陣前叫罵挑戰，以激怒敵方應戰（多見於舊戲曲、小說）。（P910）

【對付】③

舊版：感情相投合。（P318）

新版：感情相投合（多用於否定式）。（P344）

【活泛】②

舊版：指經濟寬裕。（P571）

新版：指經濟寬裕（常與"手頭"連用）。（P617）

"超標"新版增補表示適用範圍的括注，對釋義進行再限制。"大腕"舊版已經以括注形式指明被釋詞的適用範圍，但是適用範圍偏窄，新版增加括注內容，予以擴大。"接見"新版增補表示使用場合的括注，使釋義更爲詳細、具體。"罵陣"舊版表示被釋詞的使用範圍的括注不完整，新版予以補充。"對付"、

“活泛”例中，新版補充被釋詞的常用句式和語法環境，更有利於讀者瞭解被釋詞的用法。

（2）表示語用資訊的括注的刪減

表示語用資訊的括注的刪減涉及45條義項，均是舊版已有括注的消失。如：

【連任】

舊版：連續擔任同一職務（多指由選舉而任職）。（P783）

新版：連續擔任同一職務。（P844）

【擴編】

舊版：擴大編制（多用於部隊）。（P741）

新版：擴大編制。（P801）

【零星】①

舊版：零碎的；少量的（不用做謂語）。（P806）

新版：零碎的；少量的。（P869）

“連任”舊版釋義中表示適用範圍的括注，反而限制了釋義的所指範圍，新版予以刪減。“擴編”詞義有所發展，不僅僅用於部隊，也可以轉指其他有編制的單位，所以新版刪減表示使用場合的括注。“零星”釋義“……的”模式已經告訴我們，“零星”不能做謂語的語法特徵，所以不需要再加括弧解釋。

（3）表示語用資訊的括注的置換

表示語用資訊的括注的置換只涉及3條義項，舊版括注中的適用範圍不準確，新版予以置換。如：

【強項】

舊版：指實力較強的競爭項目（多指體育運動）。（P1017）

新版：實力強的項目（多指體育比賽項目）。（P1095）

【用印】

舊版：蓋圖章（用於莊重的場合）。（P1518）

新版：蓋圖章（多用於正式場合）。（P1643）

（4）括注與釋義主要成分的轉換

這裏括注與詞義成分的轉換，共涉及 62 條。釋義主體成分轉化爲括注內容的涉及 59 條，其中釋義主體成分轉化爲表人名、地名括注較多，涉及 36 條義項；表語用資訊的括注內容轉化爲釋義主要成分涉及 3 條。如：

【打撈】

舊版：把沉在水裏的東西（如死屍、船隻等）取上來。（P227）

新版：把水裏的東西（多爲沉在水下的，如死屍、船隻等）取上來。（P245）

【湧】

舊版：〈方〉河汊，多用於地名。（P174）

新版：〈方〉河汊，（多用於地名）。（P188）

【王八】②

舊版：指妻子有外遇的人（罵人的話）。（P1301）

新版：譏稱妻子有外遇的人。（P1407）

“打撈”舊版將動作行爲的修飾語“沉在水裏的”作爲釋義的主體成分，而新版將其轉變爲括注內容，釋義更爲準確。“湧”新版以括注形式表示單字的使用範圍，與《現漢》自身的體例更加契合。“王八”釋義中，新版將括注“罵人的話”置換爲“譏稱”釋義更爲形象。

3.表示意義相關的詞語的括注的修訂

表示意義相關的詞語的括注常以“區別與××”、“跟××相對”的形式出現。這類括注的修訂涉及 55 條義項。

（1）表示意義相關的詞語的括注的增加

表示意義相關的詞語括注即在括注中列出與被釋詞目相反、相對的詞語，此類括注的增加涉及 39 條義項，其中舊版沒有括注，新版增加括注的有 38 條，舊版已有括注，新版增補括注內容的只涉及 1 條。如：

【輔幣】

舊版：輔助貨幣的簡稱。（P391）

新版：輔助貨幣的簡稱（跟主幣相對）。（P424）

【正史】

舊版：指《史記》、《漢書》等紀傳體史書。（P1607）

新版：指《史記》、《漢書》等紀傳體史書（區別於“野史”）。（P1740）

【苦】

舊版：像膽汁或黃連的味道（跟“甘”相對）。（P727）

新版：像膽汁或黃連的味道（跟“甘、甜”相對）。（P787）

（2）表示意義相關的詞語的括注的刪減

表示意義相關的詞語的括注的刪減涉及 16 條，均是舊版括注的消失。如：

【函授】

舊版：以通信輔導爲主的教學方式（區別於“面授”）。（P494）

新版：以通信輔導爲主進行教學。（P535）

【間接經驗】

舊版：從書本或別的經驗中取得的經驗（跟“直接經驗”相

對）。（P621）

新版：從書本或別的經驗中取得的經驗。（P670）

4.表示有關知識的括注的修訂

這裏表示有關知識的括注包括對釋義主要成分進行限定說明、舉例以及標注被釋詞語來源等的括注內容，共涉及 87 條義項。

（1）表示有關知識的括注的增加

表示有關知識的括注的增加共涉及 39 條義項，均是舊版沒有括注，新版增加括注。如：

【控股】

舊版：指掌握一定數量的股份，以控制公司的業務。（P723）

新版：指掌握一定數量（半數以上或相對多數）的股份，而取得對公司生產經營活動的控制權。（P782）

【穎】①

舊版：〈書〉某些禾木科植物子實的帶芒的外殼。（P1512）

新版：某些禾木科植物（如稻、麥）子實的帶芒的外殼。（P1635）

【東山再起】

舊版：東晉謝安退職後在東山做隱士，後來又出任要職。比喻失勢之後重新恢復地位。（P299）

新版：東晉謝安退職後在東山做隱士，後來又出任要職。（見於《晉書謝安傳》）比喻失勢之後重新恢復地位。（P325）

“控股”釋義中，新版增補的括注是對“一定數量”的限定說明。“穎①”新版增加表示舉例的括注，釋義更加具體、形象。“東山再起”新版補充被釋詞的來源。

（2）表示有關知識的括注的刪減

表示有關知識的括注的刪減共涉及 16 條，15 條是舊版括注的消失，1 條是對舊版部分括注內容的刪減。如：

【城建】

舊版：城市建設（規劃、工程）。（P164）

新版：城市建設。（P180）

【殼菜】

舊版：貽貝（生活在淺海岩石上的帶軟殼軟體動物）通常指貽貝的肉。（P1021）

新版：貽貝，通常指貽貝的肉。（P1100）

【石料】

舊版：……分爲天然石料（如花崗岩、石灰石）和人造石料（如人造大理石、水磨石、剁斧石）。（P1142）

新版：……分爲天然石料（如花崗岩、石灰石）和人造石料（如人造大理石、水磨石）。（P1233）

（3）表示有關知識的括注的置換

表示有關知識的括注的置換，涉及 8 條。如：

【微波】

舊版：一般指波長從 1 毫米 —— 1 米（頻率 300 兆赫 —— 300，000 兆赫）的無線電波……（P1306）

新版：一般指波長從 1 毫米 —— 1 米（頻率 300 吉赫 —— 300 兆赫）的無線電波……（P1413）

【沖喜】

舊版：舊時迷信風俗，家中有人病重時，用辦理喜事（如迎娶未婚妻過門）等舉動來驅除邪祟，希望轉危爲安。（P173）

新版：舊時迷信風俗，家中有人病重時，用辦理喜事（娶親）等舉動來驅除邪祟，希望轉危爲安。（P187）

（4）括注與釋義主要成分的轉換

括注與釋義主體成分的轉換，涉及 24 條。其中，釋義主要成分轉換爲表示相關知識的括注內容，涉及 21 條；括注內容轉換爲釋義主要成分的涉及 3 條義項。如：

【龍骨】②

舊版：指古代某些哺乳動物骨骼的化石，如象、犀牛等。可入藥。（P816）

新版：指古代某些哺乳動物（象、犀牛等）骨骼的化石。可入藥。（P878）

【酸鹼度】

舊版：氫離子濃度指數（PH 值）。（P1206）

新版：溶液酸鹼性強弱的程度。用 PH 值表示。（P1304）

5.表示深層意義括注的修訂

詞語的字面意義指的就是詞語的字裏行間所表示出來的意義，是很直接明瞭的意義。深層義指的就是通過字面意義所體現出來的另一種意義。表示深層意義括注的修訂共涉及 5 條。

（1）表示深層意義括注的增加

表示暗含意義括注的增加只涉及 3 條，有 2 條是舊版沒有括注，新版增加括注，1 條是舊版原有括注，新版再增加括注內容。

【征塵】

舊版：在遠行的路途中身上沾染的塵土。（P1603）

新版：在遠行的路途中身上沾染的塵土（象徵征途的勞累）。（P1735）

【沒詞兒】

舊版：每話可說。（P860）

新版：毎話可說（指理由被駁倒）。（P926）

【哼兒哈兒】

舊版：形容鼻子和嘴發出的聲音（多表示不在意）。（P517）

新版：形容鼻子和嘴發出的聲音（多表示敷衍或不在意）。（P560）

例“征塵”中，新版以括注的形式補充其含有的象徵意義。“沒詞兒”新版以括注的形式補充其暗含的意義。“哼兒哈兒”舊版暗含意義不完整，新版予以補充。

（2）括注與詞義成分的轉換

括注與詞義成分的轉換，只涉及 1 條。如：

【攘臂】

舊版：激憤時捋起袖子，伸出胳膊。（P1057）

新版：捋起袖子，伸出胳膊（表示激奮或發怒）。（P1139）

6.表示解釋說明括注的修訂

表示解釋說明括注，即是對被釋詞某組成成分進行解釋的括注。此類括注修訂涉及 24 條。

（1）表示解釋說明括注的增加

表示解釋說明括注的增加涉及 12 條。

【差強人意】

舊版：大體上還能使人滿意。（P129）

新版：大體上還能使人滿意（差：稍微）。（P140）

（2）表示解釋說明括注的刪減

表示解釋說明括注的刪減涉及 12 條。如：

【邊幅】

舊版：形容不注意衣著、容貌的整潔（邊幅：布帛的邊緣，

比喻儀容、衣著）。（P109）

新版：形容不注意衣著、容貌的整潔。（P117）

附加型括注修訂計量統計，見表 3.19。

表 3.19

括注內容	增加	刪減	置換	括注 — 主體	合計	百分比%
附加色彩	19	3	1	2	25	6.98
語用信息	53	45	3	62	163	45.53
相關詞語	39	16	-	-	55	15.37
有關知識	39	16	8	24	87	24.30
深層意義	3		—	1	4	1.12
解釋說明	12	12	—	—	24	6.70
合　計	165	92	12	89	358	100

附加型括注修訂共涉及 358 條義項。其中，表示語用資訊的括注的修訂最多，占了 45.53%；表示有關知識的括注的修訂居第二，占 24.30%；表示相關詞語的括注修訂居第三，占 15.37%；表示附加色彩的括注的修訂居第四，占 6.98%；表示解釋說明的括注的修訂，占了 6.70%；表示深層意義的括注的修訂最少，只占了 1.12%。

從修訂方式上說，附加型括注以增補爲主涉及 165 條義項；刪減次之涉及 92 條義項；括注內容與釋義主體的轉換也較多涉及 89 條義項；相比之下，置換則最少，只涉及 12 條義項。

（三）搭配型括注與附加型括注的轉換

括注的修訂還包括一類即搭配型括注與附加型括注的相互轉換，涉及義項很少，只有 7 條。其中，搭配型括注轉換爲附加型括注的涉及 6 條義項；附加型括注轉換爲搭配型括注的涉及 1 條義項。如：

【修建】

舊版：（土木工程）施工。（P1416）

新版：施工（多用於土木工程）。（P1533）

【圖文並茂】

舊版：圖畫和文字都很豐富精彩（多用於同一書刊）。（P1275）

新版：（同一書刊的）圖畫和文字都很豐富精美。（P1379）

（四）括注修訂小結

名詞性詞語、動詞性詞語、形容詞性詞語釋義括注修訂，共涉及 506 條義項，以附加型括注的修訂占多數，共涉及 358 條義項，占 70.75%；搭配型括注的修訂占少數，共涉及 141 條義項，占 27.87%，搭配型括注與附加型括注的轉換最少，占 1.38%。附加型括注中，表示語用資訊的修訂最多。搭配型括注的修訂又以動詞性詞語搭配型括注的修訂涉及義項最多，修訂所涉及的內容也更爲豐富。

在修訂方式上，附加型括注以增加爲主，搭配型括注以括注與詞義主要成分轉換最多。我們需要注意的一點是，括注內容與詞義成分的互相轉化，即哪些可以使詞義成分，哪些可以是括注內容，新版作了一定的區分，特別是搭配型括注中括注內容與詞義成分的轉換，更值得我們分析，新版的對此的切分標準在哪里，還是值得深思的。

第四章　用例修訂計量考察

用例是詞典微觀結構的主要構成成分之一，“例句的用途在於揭示詞目在與其他詞彙單位的組合中的功能”[1]，它是“顯示語詞分佈結構和用法最有效、最直觀的辦法”[2]。用例的重要性毋庸置疑。詞典中哪些詞目需要用例，以及如何選擇、編纂恰當的用例，比我們想像中要複雜。

辭書的釋義用例大致有兩類，一類是書證，如《辭源》、《辭海》、《漢語大詞典》等中的釋義用例均屬此類；還有一類是自撰例，即爲辭書編撰者現編的用例，《現漢》、《現代漢語八百詞》等中的釋義用例便屬此類。書證的優點是客觀、可靠，尤其適合於反映詞義歷時發展的辭書，缺點是要麼艱澀難懂，要麼缺乏現時代感；而自撰例的優點是簡明、貼切、合乎習慣、時代感強，缺點是往往會受編撰者所處時代的局限的影響。自撰例的上述優缺點《現漢》中也存在，因此如何揚長避短，與時俱進，便成了《現漢》歷次修訂均涉及用例的一個出發點。[3]

---

1 [捷]拉迪斯拉夫·茲古斯塔：詞典學概論，第 360 頁，商務印書館，1983。
2 章宜華　雍和明. 當代詞典學　：第 130 頁，商務印書館，2007。
3 本章內容中的一部分此前曾以論文的形式發表。參見拙文《〈現代漢語詞典〉第 5 版用例修訂計量考察 — 兼論〈現代漢語詞典〉第 5 版用例修訂的特點》，載《語言研究》2009 年 2 期。

一、用例修訂的方式

《現漢》編寫細則中對用例的總體要求是："能恰好說明意義和用法；簡短；語言優美，沒有不合規範的地方；內容沒有政治性錯誤，也不庸俗"[4]。新版在此基本要求下，對舊版用例進行了全面而系統的修訂，主要有以下六個方面：（一）新用例的增補，共有 1973 處；（二）舊用例的刪汰，共有 658 處；（三）舊用例的置換，共有 844 處；（四）舊用例的位置調整，共有 103 處；（五）舊用例的局部修改，共有 919 處；（六）用例的綜合修訂，共有 150 處。新版對舊版用例修訂總計 4647 處[5]（詳見表 4.1）。

表 4.1

類　　別	增補	刪汰	置換	位置調整	局部修改	綜合修訂
數量（處）	1973	658	844	103	919	150
百分比（%）	42.4	14.2	18.2	2.2	19.8	3.2
例　　詞	標記、遷流	蹦跳、憨實	凝視、慈善	住手、本分	底冊、獎懲	微型、查究

以上幾個類別中，前五種用例修訂方式都是單一的，不與其他類別交叉，第六種修訂方式中用例的增補、刪汰、置換、位置調整、局部修改這幾種方式往往交叉進行。

4 《現代漢語詞典》五十年：第 118 頁，商務印書館，2004。

5 這裏有兩點需要說明：第一，我們的計量考察以"處"爲單位，例如，在一組用例修訂中，只要用例有變化，不管有幾個用例發生變化，都只算一處；第二，詞語義項分合引起的與義項相對應的用例的分合，不在我們的計量範圍內；詞語義項的增補、刪汰而引起的與義項相對應的用例的增補、刪汰也不在我們計量的範圍內。

（一）新用例的增補

新版對舊版用例的增補多達 1973 處，佔用例修訂總量的 42.4%。新版增補用例，主要是更加全面地展示詞語的運用環境和用法特點，達到強化釋義的效果。

1.舊版沒有用例，新版增加用例

舊版沒有用例，新版增加用例主要包括新版給難以理解的詞語增補用例；新版增補表示詞語的臨時變體的用例；新版因釋義變化，而相應的增加用例來補充釋義。如：

【覯】〈書〉遇見。

舊版：無例子。（P446）

新版：罕～（難得遇見）。（P484）

【領養】把別人家的孩領來撫養，當做自己的子女。

舊版：無例子。（P808）

新版：◇我們班～了一片綠地。（P871）

【官員】

舊版：經過任命的、擔任一定職務的政府工作人員（現在多用於外交場合）。（P465）

新版：經過任命的、擔任一定職務的政府工作人員：外交～/地方～/～問責制。（P503）

“覯”帶有濃厚的書面語色彩，不易理解，舊版卻沒有用例，新版不僅爲其增補了用例還括注了用例的意思，有利於讀者的理解。“領養”一詞的意義在我們的生活中有了新的發展，但是還沒有穩定下來，新版將“領養”的臨時比喻義，以用例的方式補充進來。“官員”的釋義在新版已經有所變化，不再局限於“外交場合”，新版以三個用例來表示其豐富的運用環境。

2.舊版已經有用例，新版再補充新的用例

新版在原有基礎上增補新的用例，一方面，是為了展示詞語不同的語境義、語用義等以此來擴展釋義；一方面是補充詞語在不同語法環境下的用法，補充詞語的語法功能；再一方面，也是為了對應已經變化了的釋義，補充具有時代特徵的用例；另外，新版補充的用例往往也豐富了用例的形式，即將語詞式用例、短語式用例、語句式用例更加合理的組合起來。如：

【傢伙】②指人（含輕視或戲謔意）

舊版：你這個～真會開玩笑。（P605）

新版：你這個～真會開玩笑/這個卑鄙的～什麼事都做得出來。（P653）

【暢談】盡情地談。

舊版：開懷～。（P144）

新版：～理想｜開懷～。（P156）

【單】（～兒）單子②。

舊版：名～｜傳～｜清～｜賬～｜貨～。（P245）

新版：名～｜傳～｜清～｜賬～｜貨～｜你給開個～兒吧。（P266）

【複製】

舊版：仿造原件（多指藝術品）或翻印書籍等：品/這些文物都是～的。（P397）

新版：依照原件製作成同樣的（多指臨摹、拓印、印刷、複印、錄音、錄像、翻拍等方式）：～品/～軟體/這些文物都是～的。（P430）

【寬廣】

舊版：面積或範圍大：～的原野｜道路越走越～。（P733）

新版：①面積大：～的原野｜道路越走越～。②範圍大：題材～｜～的藝術領域。（P793）

例"傢伙"增加新用例，即補充了詞語的"含輕視意"的語用資訊。例"暢談"舊版只有一例，新版增加了"暢談"帶賓語的例子，展示了其作爲名賓動詞的用法特點。例"單"在語詞式用例的基礎上，增加語句式用例，補充"單"獨立運用的語法功能。例"複製"一詞隨著時代的發展，意義有所擴大，不僅可以用於藝術品、書籍等，還可用於其他方面，所以新版增補了能夠體現時代發展的用例"複製軟體"。例"寬廣"的釋義在新版中被分解爲兩個義項，新版在義項②中增補了用例，用來區分並展示表"面積大"的"寬廣"和表"範圍大"的"寬廣"的不同搭配物件，前者爲具體的事物，後者爲抽象的事物，不僅與釋義更加對應，還交代了"寬廣"這個詞的不同的使用環境。

（二）舊用例的刪汰

新版刪減舊版固有用例多達 658 處，佔用例修訂總量的14.2%。

1.舊版用例的消失

舊版用例的消失即新版刪減舊版用例之後，舊版沒有用例。新版刪除舊版用例，主要是因爲舊版用例不符合人們的觀念，或詞語的釋義已經很完整，不需要用例來補充，或者舊版的用例已經從詞語的臨時變體，逐漸穩定成詞義。如：

【大自然】自然界。

舊版：征服～。（P239）

新版：無例子。（P259）

【辯護】

舊版：②法院審判案件時被告人爲自己申辯或辯護人爲被告人申辯：～人｜～律師。（P80）

新版：②新版：事訴訟中，犯罪嫌疑人、被告人、及其辯護人針對控告進行申辯。（P86）

【前沿】

舊版：預防陣地最前面的邊沿：～陣地◇～科學。（P1012）

新版：①預防陣地最前面的邊沿：～陣地。②比喻科學領域中最新或領先的領域。（P1089）

例“大自然”現在已經成爲保護的對象，舊版用例“征服大自然”，顯然觀念有些陳舊，所以刪去；例“辯護”中新版的釋義完整、明確，不需要再加用例。例“前沿”一詞的比喻義已經穩定下來，所以不必以用例形式出現，新版已經將其立爲義項納入詞典。

2.舊版用例的刪減

舊版用例的刪減即新版不是將舊版用例全部刪除，而是刪除舊版的部分用例。新版刪除舊版部分用例，一方面是刪除舊版一些多餘累贅的用例，以此節省詞典的空間；另一方面，新版刪去了舊版中反映陳舊觀念或不符合人們表達習慣的用例，能夠避免因用例不確切而帶來的對釋義的誤解。如：

【表示】①用語言行爲顯示出某種思想、感情、態度等。（P84）

舊版：～關懷｜～好感｜大家一起鼓掌～歡迎。（P91）

新版：～關懷｜大家一起鼓掌～歡迎。

【押解】②押運。

舊版：～貨物｜～禮品。（P1438）

新版：～貨物。（P1557）

【得力】

舊版：①得益；見效：～于平時的勤學苦練｜我吃這個藥很～。（P261）

新版：①得益：～于平時的勤學苦練。（P283）

【長線】

舊版：比喻（產品、專業等）供應量超過需求量（跟短線相對）：～產品｜縮短～，發展短線，把國民經濟比例關係協調好。（P140）

新版：①比喻（產品、專業等）供應量超過需求量的（跟短線相對，下同）：～產品。（P153）

“表示”的用例中“表示關懷”與“表示好感”在語境和語法功能方面的用法都很相似，顯的多餘累贅，所以新版刪去一例。“押解”例中的“押解禮品”今已很少使用，不符合人們的表達習慣，所以新版將其刪去；“得力”釋義中刪去了“見效”的意思，因此與該釋義對應的用例“我吃這個藥很得力”也自然便刪去，避免給釋義帶來誤解。“長線”一詞是屬性詞，一般只做定語或狀語，舊版用例中將其作爲動賓結構中的賓語，不太合適，所以新版予以刪除。

（三）舊用例的置換

新版對舊版固有用例的置換多達 844 處，佔用例修訂總量的 18.2%。所謂用例的置換，實際上是對用例的增刪並舉，即先刪除不恰當的舊的用例，再增補適當的新的用例，來突出被釋詞目的典型語義、語法特徵，同時我們也可以通過比較置換的用例，來發現詞義發展的蛛絲馬跡。

1.**舊版用例的全面置換**

舊版用例的全面置換即新版的用例與舊版的用例完全不一樣。新版的用例，在語方面義更加準確，也富有時代的色彩，在語法功能方面，也更加典型。如：

【講座】一種教學形式，多利用報告會、廣播、電視或刊物連載的方式進行。

舊版：中文拼音～。（P627）

新版：電腦知識～。（677）

【委屈】①受到不應該有的指責或待遇，心裏難過。

舊版：訴～｜滿肚子的～。（P1312）

新版：沒來由地受到埋怨，感到很～。（P1420）

【潛能】

舊版：潛在的能量或能力：發揮～｜挖掘～。（P1013）

新版：①潛在的能量：地下～。②潛在的能力：科技人員的～得到發揮。（P1090）

“講座”的新用例“電腦知識講座”顯然是更具有時代發展的氣息。“委屈”是形容詞，新版用例讓“委屈”受“很”修飾更能體現它的語法功能，而舊版用例中“委屈”分別作賓語和定中結構的中心語，沒有顯示出其形容詞的典型特徵。“潛能”在新版中義項分解後，並沒有照搬舊的用例，而是重新編寫新用例，來提示不同意義的語域範圍，即義項①的“潛能”只能表示具體的事物，而義項②的“潛能”則表示抽象的事物。

2.舊版用例的部分置換

舊版用例的部分置換即舊版有多個用例，新版保留了其中一部分，而置換了另一部分。新版置換舊版部分用例，主要是以新用例來展示詞語不同的搭配關係。如：

【備戰】準備戰爭。

舊版：～物資｜～備荒。（P55）

新版：～備荒◇～奧運會。（P59）

【末流】

舊版：②等級或品質低的：～演員｜～水準。（P896）

新版：②最低的等級或品類：～演員｜技術水準在同行業中居於～。（P964）

“備戰”的新用例“備戰奧運會”既補充了“備戰”作爲動詞的典型語法特徵，也提示“備戰”具有特殊的搭配關係，說明了它的臨時比喻義，較之舊用例“備戰物資”顯然更加典型。“末流”的舊版兩用例只顯示了其作爲定語的用法，新版置換其中一例，說明“末流”做賓語的用法，也與釋義更加切合。

（四）舊用例位置的調整

新版對舊版用例位置的調整多達 103 處，佔用例修訂總量的 19.7%。具體有以下三種情形：

一種情形是，舊版某一義項後面的用例與釋義不匹配，在新版中轉移到與之相匹配的另一義項後面。如：

【卑】

舊版：②（地位）低下：～賤｜自～。③（品質或品質）低劣：～鄙｜～劣｜～不足道。（P51）

新版：②（地位）低下：～賤｜自～｜～不足道。③（品質）低劣：～鄙｜～劣。（P55）

例“～不足道”在舊版中是義項“③（品質或品質）低劣”後面的用例，但這一用例往往用來形容人的地位，顯然與釋義不匹配，所以新版將該用例轉移到義項“②（地位）低下”後。

另一種情形是，由於義項的增刪所引起的用例位置的變化。舊版有些義項還不穩定，只是一些詞語意義的臨時變體，新版刪除義項的同時，將用例配置到其他義項下；舊版還有一些詞語意義逐漸發展，產生新的意義且穩定下來，新版便設立義項，並將與之匹配的用例歸入新的義項下。如：

【密封】

舊版：①嚴密封閉：用白蠟～瓶口，以防藥物受潮或揮發。②嚴密封閉的：～艙｜一聽～的果汁。（P874）

新版：嚴密封閉：～艙｜一聽～的果汁｜用白蠟～瓶口，以防藥物受潮或揮發。（P941）

【逗[1]】

舊版：③逗笑兒：這話真～｜她是一個愛說愛～的姑娘。（P307）

新版：③動詞，逗笑兒：她是一個愛說愛～的姑娘。④形容詞，有趣；可愛：這話真～。（P333）

例（10）“密封”的義項②只是“密封”作爲動詞的臨時變體，且“密封”的兩義項在語義上差別不大，所以新版刪除義項②，將密封作爲形容詞的功能義以用例的形式表現在義項①中。“逗[1]”的語法功能發生變化，“逗[1]”作爲形容詞的功能義已經穩定下來，並被新版立爲義項，其作爲形容詞的用例也自然轉移到新義項下。

還有一種情形是：新版對舊版一些用例的排列順序進行了調整，使得用例和釋義更加對應，避免了誤解的產生。如：

【蒙受】

舊版：受到；遭受：～恥辱｜～恩惠｜～不白之冤。（P868）

新版：受到；遭受：～恩惠｜～恥辱｜～不白之冤。（P935）

“蒙受”舊版用例的排序會讓人誤解“蒙受恥辱”的“蒙受”是“受到”的意思，新版對用例順序的調整就避免了這種誤解。

（五）舊用例的局部修訂

新版對舊版用例中的部分詞語進行修改，使用例更為完善。用例的局部修改多達 919 處，佔用例修訂總量的 19.8%，又可以分為三種情形：舊用例的局部增補，共 192 處；舊用例的局部刪減，共 270 處；舊用例的局部置換，共 457 處（詳見表 4.2）。

表 4.2

類　　別	局部增補	局部刪減	局部置換
數量（處）	192	270	457
百分比（%）	20.9	29.4	49.7
例　　詞	鍍、割捨	達□、綜藝	眼熱、翻動

1.舊版用例的局部增補

所謂舊用例的局部增補，指的是新版對舊版中的某個用例增補詞語，共有 192 處。用例的局部增補一方面是使用例更加貼合釋義，另一方面，是對固有用例的意思加以說明與補充。

【和緩】②使和緩。

舊版：～一下氣氛。（P510）

新版：～一下緊張氣氛。（P551）

【避】①躲開；回避。

舊版：～雨｜退～｜～而不談。（P72）

新版：～了一會兒雨｜退～｜～而不談。（P77）

【檄】①檄文。

舊版：羽～。（P1349）

新版：羽～（古時徵兵的軍書，上插鳥羽）。（P1459）

例“和緩”新版用例中增加了修飾語“緊張”，給出了“和緩”的適用環境，有助於理解詞義；例“避”新版將“避雨”擴展爲“避了一會兒雨”，提供了“避”帶單音節名詞時所展現出來的一些特徵。“檄”的文言義較爲濃厚，其用例“檄文”也不易理解，所以新版以括注的形式，對其進行了補充。

2.舊用例的局部刪減

舊用例的局部刪減，指的是新版對舊版固有用例中的部分詞語進行刪減，共計 270 處，用例的局部刪減一方面是使用例更加簡潔，更符合人們的表達習慣；另一方面，是對固有用例的解釋加以刪減，即舊版有些詞語的用例已經爲大家所熟悉，不需要再另加詞語來解釋，或用例本身在詞典中也已經立爲條目，不需要另加解釋。

【滴溜兒】形容極圓。

舊版：～滾圓。（P268）

新版：～圓。（P291）

【民怨】

舊版：人民群眾對反動統治者的怨恨：～沸騰（形容人民群眾對反動統治者的怨恨達到極點）。（P884）

新版：人民群眾的怨恨：～沸騰。（P951）

例“滴溜兒”已經表示極圓了，不需要“滾”來修飾，故刪減“滾”這個修飾語。“民怨”的釋義較為清晰，且用例“民怨沸騰”也很容易理解，所以新版刪除舊版的括注。

3.舊用例的局部置換

舊版用例的局部置換，是指新版對舊版用例中的部分語詞先刪減後增補，共計 457 處。新版對舊版用例的局部增刪使用例的表述更加規範、準確、完善、更加符合人們的表達習慣。

【避暑】②避免中暑。

舊版：天氣太熱，吃點～的藥。（P73）

新版：天氣太熱，吃點藥避避暑。（P78）

【報修】設備等損壞或發生故障，告知有關部門前來修理。

舊版：住房漏水，住戶可向房管部門～。（P48）

新版：暖氣漏水，住戶可向物業管理部門～。（P51）

例“避暑”中新版“避避暑”動詞重疊，語氣較為舒緩，比舊版“吃點～的藥”更適用於建議和勸說。例“保修”中新版用“物業管理”置換舊版的“房管”，表述更加規範。

（六）用例的綜合調整

新用例的增補，舊用例的刪汰、置換、位置調整、局部修改等往往也會交叉著進行，這種情形我們稱之為用例的綜合調整。新版中屬於用例綜合調整的共有 150 處，佔用例修訂總量的 3.2%。我們來看下面兩個例子：

【題】①題目。

舊版：命～｜出～｜離～太遠｜文不對～。（P1239）

新版：命～｜練習～｜文不對～｜出了五道～。（P1340）

【謹嚴】謹慎嚴密。

舊版：治學～｜文章結構～。（P658）

新版：治學～｜作風～。②細緻嚴密：文章結構～。（P711）

例“題”新版增補“練習題”，再刪減用例“離題太遠”，再將用例“出題”增補爲“出了五道題”。例“謹嚴”中新版調整用例“文章結構”位置，刪減了“作風嚴謹”。用例的綜合調整是從更細緻、更全面的角度對舊版用例進行調整，使之更爲恰當。

（七）用例修訂小結

在《現漢》修訂史上，對用例的修訂最爲著力的就數新版，用例修訂竟多達 4647 處。

在如此大規模的修訂中，用例的增補占了絕對優勢，共有 1973 處，佔用例修訂總量的 42.4%，新版增加用例主要是爲了強化釋義、擴展釋義、補充詞語的典型的搭配關係。在用例修訂中，數量居其次的是用例的局部調整，共有 919 處，佔用例修訂總量的 19.8%，其中又以用例的局部增刪居多，共 457 處，用例的局部刪減次之，共 262 處，用例的局部增補最少，共計 192 處。用例的局部調整，主要是完善舊版用例的表述，使用例更加準確、更加典型、更加切合釋義。在用例修訂中，數量居第三的是用例的置換，共有 844 處，佔用例修訂總量的 18.2%，用例的置換主要是爲了凸顯詞語典型的語義環境、語法功能。在用例修訂中，數量居第四的是用例的刪汰，共有 658 處，佔用例修訂總量的 14.2%，舊版用例的刪汰，主要是刪除舊版多餘、累贅、不符合時代發展的用例。用例修訂中還涉及了用例的位置的調整 103

處，主要用來區分詞語的適用的語域範圍。最後，還有用例的綜合調整 150 處，均是爲了使用例系統更加完善。

二、新版用例修訂的特點

詞典用例是表明詞語的語法特點、搭配範圍和使用語境等等所採取的最經濟有效的方式，正如黃建華、陳楚祥所指出的："例證不僅補充說明詞的意義，使其具體化，而且說明它的語法特點、搭配範圍、修辭色彩等。總之，例證可以揭示詞的實質，說明它的內涵和外延"。[6]我們還可以從用例中獲取很多詞義以外的資訊，包括語言本身的變化、社會的發展、時代的變遷等等。新版對舊版用例進行全面而系統的修訂，使用例更具時代性、準確性、規範性、便民性等特點，具體表現在以下幾個方面：

（一）新版用例修訂所體現的時代性

詞典修訂的動因是詞典原有內容與客觀事物以及語言自身的變化有了一定的距離。詞典具有時代性，過去的時代編纂的詞典必然打上舊時代的烙印，其中的一些已經不再適用於新的時代，無論是在觀念上還是在技術層面上。新版通過用例修訂，在一定程度上解決了這些問題。如：

【籌備】爲進行工作、舉辦事業或成立機構等事先籌畫準備。

舊版：～糧餉｜～展覽｜～工作已經完成。（P179）

新版：～展覽｜～工作已經完成。（P194）

【回返】往回走；返回。

---

6 黃建華 陳楚祥.雙語詞典學導論，第 60 頁，商務印書館，2001。

舊版：～家鄉｜～路程。（P560）

新版：～家鄉｜～主頁。（P606）

例“籌備”新版以“籌備展覽”置換“籌備糧餉”，“糧餉”是“舊時指軍隊中發給官、兵的口糧和錢”，“籌備糧餉”這一用例在當今社會已很少使用。“回返主頁”是有關網路的用語，與網路迅猛發展的時代特徵相符，所以新版用它取代“回返路程”。

（二）新版用例所創設的詞語語義背景

陸儉明指出：“所謂詞語使用的語義背景，就是指某個詞語能在什麼樣的情況或上下文中出現，不能在什麼樣的情況或上下文中出現……而目前許多工具書或漢語教材，就只注釋了詞語的基本意義，很少注釋詞語使用的語義背景”。[7]舊版的一些用例在詞語語義背景的提供方面存在不足，新版對此進行了修訂，從而有助於人們真正把握詞語的意義和用法。如：

【手勤】指做事勤快。

舊版：～腳快。（P1162）

新版：這小姑娘～腳快，幹活兒麻利。（P1255）

【得志】志願實現（多指滿足名利的欲望）。

舊版：少年～｜鬱鬱不～。（P262）

新版：少年～｜鬱鬱不～｜你如今得了志，連好朋友都不認了。（P284）

“手勤”新版將片語擴展為單句形式，增加了“手勤”的語

7 陸儉明.詞彙教學與詞彙研究之管見[J]，《江蘇大學學報》2007/03。

義背景，告訴讀者在什麼場合下可以使用及如何使用“手勤”這個詞。例“得志”中新版增加用例，實際上也是提供了舊版兩個用例沒有給足的語義背景：“得志”是個離合詞，中間可以插入“了”等詞語；“得志”在一定的語言環境中含有貶義的色彩。

（三）新版用例所揭示的詞語搭配關係

詞語搭配關係不僅是複雜的，同時也處於變化之中。新版常常以典型的用例來提示詞語的典型搭配。不僅如此，有些被釋詞目尚未概念化或詞彙化的比喻義、引申義等，新版也可以通過用例來揭示。如：

【寵愛】（上對下）喜愛；嬌縱偏愛。

舊版：她是母親最～的女兒。（P176）

新版：母親最～小女兒。（P190）

【年輕】年紀不大（多指十幾歲至二十幾歲）。

舊版：～人｜～力壯。（P927）

新版：～人｜～力壯◇～的學科。（P996）

例“寵愛”新版用例中讓動詞“寵愛”帶上了賓語，這樣的語法搭配更典型，更能顯示出“寵愛”作爲動詞的語法特徵。例“年輕”一詞的比喻義還沒有固定下來，新版增補了“年輕的學科”這一比喻用例，表現出一種新型搭配關係，起到了延伸釋義的作用。

（四）新版用例所展現的單字條目的層級性

《現漢》中不能單用的單字條目的用例多爲詞，展示了其作爲語素的構詞能力，而當一些單字條目可以單用時，其用例多爲片語或句子，展示了其作爲詞的用法特點，單字條目的層級較爲分明。新版在此基礎上進一步強化了用例展現單字條目不同層級的功能，使其更具有示範性。如：

【達】④表達。

舊版：轉～｜傳～報告｜詞不～意。（P223）

新版：轉～｜傳～｜～意。（P241）

【署[2]】簽（名）；題（名）。

舊版：簽～｜～名。（P1173）

新版：簽～｜～上了一個筆名。（P1267）

例“達”新版對舊版兩固有用例進行了局部删減，“傳達”、“達意”更能顯示出“達”作爲語素的構詞能力，而“傳達報告”、“詞不達意”應該分別作爲“傳達”和“達意”的用例更爲妥貼。例“署[2]”新舊兩版中“簽署”顯示了“署”作爲語素的構詞能力，但是“署”這個單字條目還可以單獨使用，新版將“署名”增補爲“署上了一個筆名”，更清楚地告訴了讀者“署”作爲詞的用法特點。

（五）新版用例所具有的與釋義的高度一致性

用例既然作爲詞典釋義有機組成部分，它應該準確的反映釋義所表述的內容。新版在這個方面做得尤爲突出。我們來看下面兩個例子：

【打撈】

舊版：把沉在水裏的東西（如死屍、船隻等）取上來：～隊｜～沉船。（P227）

新版：把水裏的東西（多爲沉在水下的，如死屍、船隻等）

取上來：～除｜～沉船｜～湖上漂浮物。（P245）

【澆[1]】

舊版：①讓水或別的液體落在物體上：～水｜大雨～得全身都濕透了。（P631）

新版：①水或別的液體落在物體上：大雨～得全身都濕透了。②讓水或別的液體落在物體上：～汁兒丸子｜往面上～鹵。（P681）

新版對許多詞語的釋義表述進行了修訂，對此我們曾進行了初步的探討[9]，而用例的相應修訂則進一步凸顯了釋義表述的種種變化。如例“打撈”新版釋義表述中“打撈”的物件已不僅僅局限于水下的東西，所以新版通過增加用例“打撈湖上漂浮物”來凸顯這一變化。新版對許多詞語的義項也進行了修訂，我們也曾進行了初步的探討[10]，與此相諧，新版用例也作了相應的調整，從而與所在的義項更加對應。例“澆[1]”舊版中“澆”的釋義表達的是一種主動的行爲，而用例“大雨澆得全身都濕透了”中的“澆”則是表示被動的意義，新版增補了“澆”的表被動意義的義項，同時將該用例轉移到新增義項下，從而使用例比較準確地反映了釋義表述。

（六）新版用例所體現的簡潔自然的風格

《現漢》用例來自於日常生活，帶有示範性，力求自然、簡潔。新版在舊版的基礎上，更加注重用例的自然、簡潔，更加貼近生活。如：

【發跡】指人變得有錢有勢。

舊版：～變泰。（P338）

新版：他靠投靠權貴～。（P366）

【只是】①僅僅是；不過是。

舊版：我今天進城，～去看看朋友，逛逛書店，沒有別的事兒。（P1618）

新版：我今天進城，～去逛逛書店，沒有別的事兒。（P1752）

"發跡變泰"現在一般很少說了，所以新版予以刪除，而增加了一個表述簡單的用例，更容易讓讀者理解。例"只是"舊版例句中"看看朋友"和"逛逛書店"這兩個並列的成分，只需列舉一個就已經足夠了，否則不夠簡潔，所以新版進行了局部刪減。

（七）新版用例所蘊含的宣導性

語言社區的社會體制、生活習性、文學文化等特徵，都是交際語言中的一部分。《現漢》編纂者有意識的選擇、編纂具有宣導性的用例，加強了詞典的文化、教育功能，尤其是給青少年讀者，帶來潛移默化的引導作用。如：

【矇騙】欺騙。

舊版：～顧客。（P868）

新版：不能～顧客。（P934）

【損毀】損壞；毀壞。

舊版：～樹木近萬株。（P1211）

新版：～樹木的行為必須嚴加制止。（P1309）

例"矇騙"新版在舊版用例上加上否定成分，"不能矇騙顧客"帶有鮮明的宣導性。例"損毀"舊版用例陳述一個事實"損毀樹木近萬株"，新版則將其改換成"損毀樹木的行為必須嚴加制止"，體現了辭書積極、正面、健康的引導作用。

第五章　條目增刪概況與動因

一、條目增加概貌

《現漢》對民族共同語的記錄是完備的，但不是窮盡的。在詞彙的共時狀態下，新詞新語不斷產生，許多專科詞、方言詞、外來詞、書面語詞、以及古語詞被廣泛地傳播開來，進入普通話系統，甚至部分已經消失的舊詞語也會以新的面貌重新出現在我們面前。《現漢》作爲一個基本開放的系統，一方面積極而又謹慎地吸納社會各個層面的新詞語，一方面根據社會的需求增收高頻詞語，同時還不斷地在平衡、規範收詞方面做出調整。新版《現漢》所增加的 5207[1]條詞語便是最好的印證，具體我們可以看以下五種情況：

（一）具有現代性、當代性的新詞語的增補

新事物、新概念不斷出現，加上語言自身的力量，促使許多

1 增詞數量方面，《新版》說明增詞有 6000 餘條，其他學者都引用這個增詞量，但韓敬體指出的增詞量有 7200 餘條，是與《第 3 版》比較的，所以，我們估計韓氏把第 4 版（2002 年增補版）《舊版》後面附錄增義的詞語也加進增詞的數量裏。本章的計量統計包括舊版附錄中的內容，並且由於本詞典修訂的重點之一是調整收詞、增加新詞新義，刪除一些陳舊而較少使用的詞語或詞義，我們將只因爲字形、詞形不同而以括列或副條形式增加或刪減的條目排除於計量之外，得出的計量結果爲新版共增加詞語 5207 條，刪減詞語 2085 條。

新詞語層出不窮。《現漢》對新詞語的收錄有著較強的選擇性，不僅要看詞語的新穎程度，更要考慮詞語的穩定性、普遍性以及合理性等等，以便更好的呈現規範性語言的新面貌。新版收錄新詞語更爲謹慎、穩妥，在將第 4 版附錄部分的新詞新義全部納入正文的同時，也增收了更多具有現代性、當代性特點並且富有生命力的新詞語。具體分爲以下四種情況：（1）表示新的具體或抽象的事物，如："節能燈、量版店、網卡、散熱器、卡丁車、彩頻、黑色食品、精准農業、垃圾郵件、電傳視訊、數位電話、類比信號、網路文學、網上銀行"等。（2）表示新的具體或抽象的活動行爲，如："美體、預考、商調、反恐、反貪、核裁軍、降噪、防塵、法律援助、生態旅遊、電子匯款"等。（3）表示對於某種現象或活動行爲作出的新認識，如"高知、玩家、走熱、走弱、熱購、骨感、熱辣、行俏、養眼、雙殼類、一站式、資訊時代、非典型肺炎、科學發展觀"等。（4）表示對固定說法加以縮略，如："非典、灰市、航母、普教、燒錄機、主板、空警、三農、三產"等。這些新詞語大都是和各個領域跨界卻又不是很深僻的專門詞語，它們涉及社會的各個方面，包括政治、經濟、科技、法制、文教、日常生活等等，爲現代漢語詞彙注入了新的元素。

（二）生活中不可缺少的常用詞語的增補

《現漢》選詞的依據，主要是看詞語在語言使用中出現的頻率。有些詞語，由於使用頻率很低，沒有通行開來，未被第 4 版收錄；有些曾被補編本收入的常用詞語，也未被第 4 版收錄。如今，這些詞語在語言的發展長河中已經具有普遍的社會性，爲人們所認可，新版予以收錄。它們可以是一般性的語文詞語，比如："爭光、酒宴、往後、要不是、款款、可怕、迥異、千米、壯美、正面人物、情有可原、四通八達"等等；它們也可以是被大眾所瞭解並得到廣泛使用的百科性詞語，科技類的如："鎢絲、反函數、二氧化矽、蘆薈、康乃馨、花梨木、鬣羚、海鷗"；哲社類的如"拉丁舞、唯美主義、三星堆遺址、新教、絲綢之路、先鋒藝術、自訴人、政治制度"等等。這些詞語雖然不是那樣彰顯著鮮明的時代特色，但卻是近年來人們日常使用中不可或缺的詞語，同樣會受到廣泛的關注，同樣有"新"的色彩，它們在一定程度上補充和豐富了現代漢語詞彙。

（三）新版爲平衡收詞釋義而補收的條目

《現漢》的收詞與釋義是相互照應的一個完整的系統，新版增收的部分條目使得這個系統更爲平衡。我們可以從四個方面來看：（1）第 4 版釋義後注有"也叫xx"，"也說xx"，"有的地區叫xx"，而"xx"沒有作爲詞條收錄，新版予以補充。比如："貝書 — 也叫貝葉書"，"背城借一 — 也說背城一戰"，"帶魚 — 有的地區叫刀魚"，這裏"貝書"、"背城一戰"、"刀魚"在新版中都以副條立目。（2）第 4 版一些詞語釋義中有"通稱xx"、"簡稱xx"、"俗稱xx"、"舊稱xx"，而"xx"沒有出條，新版予以補充。比如："碘酊 — 通稱碘酒"、"光導纖維 — 簡稱光纖"、"觀世音 — 俗稱觀音"、"壁虎 — 舊稱守宮"，"碘酒"、"光纖"、"觀音""守宮"均未出條，新版都以副條補充。（3）第 4 版釋義中出現的詞語與原詞條相關，新版將這些詞語以"見xx"的釋義模式作爲副條補充入正文。比如“日食”的釋義中有對“日環食”、“日偏食”的解釋，但是“日環食”和“日偏食”並未立目，新版予以補充，使“日食”、“日環食”、“日偏食”自成一個小系統。類似的情況還有“月食”、“月偏食”、“月全食”一組，“回歸線”、“南回歸線”、“北回歸線”一組等等。（4）第 4 版釋義裏出現的詞語，不易於理解，而這些詞語沒有被收錄，這種情況在新版中得到很大改善。比如“蒲葵”、“羅漢果”“血細胞”、“細胞壁”“天波”、“井噴”“審計”釋義中分別出現“針披形”、“藤本”“纖維素”“核蛋白”“天然氣”、“收支”等專科性較強且不易理解的詞語，而第 4 版未收錄，新版予以了補充，並給予了科學的、合理的解釋。

（四）配套詞條的增補

新版增補了一些與第 4 版詞條相關或相反的配套詞條，使得《現漢》配套詞的系統更加完善。比如第 4 版收錄了“中元節”、“上元節”，但是與它們命名相關的配套詞“下元節”卻沒有收錄。新版不僅將“下元節”補充進入正文，與前兩個配套詞相照應，還增收了這三個節日的合稱“三元”，使得配套詞之間的聯繫更加的清晰、合理。與此相似的情況還有“三春”、“三夏“、“三秋”、“三冬”一組，“季春”、“季夏”“季秋”、“季冬”一組。再如第 4 版收錄了“特快”，但是與之詞義相對的“普快”卻沒有收錄，收錄了“豐年”但與之相對的“歉年”卻沒有收錄，收錄了“劣弧”，與之相對的“優弧”也沒有收錄，新版將“普快”、“歉年”、“優弧”都納入了正文，使得各組配套詞更加的完整。

（五）一些未標注詞性的單字條目的增補

新版增補未標注詞性的單字條目，主要包括有查考作用的文言字、現代地名用字以及少數人名用字，如佸、跆、竜、瀧、浰、鋈、玟等，這些單字條目都配以準確的解釋，無疑使詞典的使用功能更為完善，同時也增強了詞典的完備性。

二、刪減條目概貌

伴隨著新事物、新思想的不斷產生，一些舊事物、舊思想也漸漸淡出我們的生活。存在于現代漢語詞彙中的代表這些事物和觀念的詞語自然也顯得不合時宜，當語言詞彙發展到一定階段，它們便會退出現代漢語詞彙實際使用的範圍。所以，《現漢》要反映共時語言的狀態，不僅要適時增加新詞語，還要及時剔除一些過時的、過舊的詞語。同時，《現漢》還要考慮社會對詞語的需求量以及自身收詞系統的平衡，刪除一些過偏、過專的不能廣泛使用的詞語。新版刪減了 2085 條詞語，具體有以下四種情況：

（一）舊詞語的刪除

這裏我們說的舊詞語是釋義中直接標出它屬於舊時代，或標明“舊時指”、“舊稱”、“舊作”、“舊社會指”等詞語。《現漢》收錄習見的舊詞語實際上是尊重詞彙發展的規律，將它們作為一種紐帶來聯繫古代、現代和當代的詞彙。所以有些舊詞語的收錄是必要的，比如“巡捕房、鏢師、刁民、喜封、納聘”等等，但有部分舊詞語卻因為過舊而漸漸消亡。新版刪除的 2085 條詞語中有 134 條是過舊的詞語，具體分為兩種情況：（1）28 條舊的稱謂語，如：“哀子、案目、白黨、幫口、出店、東佃、額魯特、二地主、工夫、薦頭、密斯特、密斯”等等。稱謂語是對人的稱呼，他們真實反映了人的職業、身份以及尊卑，每一個稱謂語都透著社會、時代的氣息。它們有的已經不存在我們的現實生活中，比如“案目”指“舊時稱劇場中爲觀眾找座位的人”。它們有的已經有了代替性的新稱謂語，比如“密斯”指“小姐（多見於早期翻譯作品）[英 miss]”，現在我們的生活或翻譯作品種已不常見“密斯”，而是直接稱“小姐”或“女士”。（2）106 條代表舊時代的事物、事物名稱、文化習俗、道德觀念、生活方式等的詞語，如：“關尺、官艙、割蜜、內婚制、吃教、丁冊、逢窮、民信局、育嬰堂、袁頭”等等。這些詞語所代表的事物或概念或正在被冷淡、遺忘，或已經被替換，它們最終因爲過舊而不能再存于共時語言層面之中。比如“袁頭”是“指民國初年發行的鑄有袁世凱頭像的銀元。也叫袁大頭”，“袁頭”所代表的貨幣發行時間非常短暫，且早已退出歷史舞臺，所以新版予以刪除。再如“育嬰堂”指“舊時收養無人撫育的嬰兒機構”，現在類似這樣的機構依然存在，但是已經不稱“育嬰堂”而是被稱爲“福利院”或“孤兒院”了。

（二）不能廣泛使用的方言詞、書面語詞、外來詞的刪除

《現漢》以收釋普通話詞彙爲主，同時也吸收使用頻率較高的方言詞、書面語詞外來詞等等。但是這些方言詞、書面語詞、外來詞等由於沒有完全沉澱在普通話系統之中，它們在使用的區域、場合、時間、色彩、頻率上都會有局限。一些過時的方言詞使用的區域縮小，不能通行開來，新版予以刪減，共計 288 條，

如："阿拉、把細、白日撞、多嫌、合扇、敢自、旮旮旯旯兒、滑雪衫"等。一些書面語，也因爲所表達的文言義過於偏僻，語體色彩上也不符合我們表達的習慣，新版予以刪除，共計 125 條，如："羓、鼻觀、宸垣、馳騖、酎金、忿詈、觖望"等。部分外來詞因爲過舊、過偏或地方色彩過濃而不能被人們理解與接受，新版予以刪除，共計 40 條，如："胞波、道林紙、梵啞鈴、凡爾丁、呋喃西林、菲林、華達呢、水門汀"等。

（三）不常用、冷僻的百科性詞語的刪除

《現漢》百科性詞語包括科技和哲社兩類。新版刪減的條目中，百科條目占了 60%到 70%左右，其中主要是科技詞條的刪減。這些詞語具體分爲以下四種情形：（1）過於專業、過於偏僻的術語，如："鈷炮（醫學）、播幅（農業）、沖模（工業材料）、固體潮（天文）、盲穀（地理）、黑膠綢（服裝）"等等。這些詞語所表示的專業知識太強，不易於人們理解與接受。（2）一些過於細緻的術語，這些術語大都表示某一領域很細小的分支，如："車鉤（車零件）、電珠（小的電燈泡）、錠子油（潤滑油的一種）、分蜜（制糖的一道工序）、頜下腺（腺的一種）"等等。這些詞語傳遞的資訊非常瑣碎，知識分類過於細化，使用的頻率也相對較低，新版予以刪減。（3）一些事物的異名和商業名稱。異名如："副淨（架子花）、夏至線（北回歸線）、白鉛（鋅）、電驢子（摩托車）、幫浦（泵）、道木（枕木）、電鏟（掘土機）"等。這些詞語常常被括弧內共同語的學名所代替，它們自身因爲不常用而被新版刪減。商業的名稱如："毛頭紙、瀘州大麯、川紅、杭紡、連史紙、嫛綠"等。這類詞語表示的商業名稱過於陳

舊，並且知名度也不高，所以新版予以剔除。（4）一些見詞明義的術語如：“電鈕、冬耕、電子手錶、春麥、車身、井灌”等，這些詞語淺顯易懂，專業性與語文性都不強，新版將它們刪除使收詞更爲合理。

（四）不太規範、使用頻率不高的詞語的刪除

新版刪除一些不太規範、使用頻率不高的詞語具體有以下三種情況：（1）一些語素間結構不緊湊的詞語，如：“毒物、斷行、吃零嘴、不成材、壞分子”等。“毒物”、“斷行”的語素間聯繫比較鬆散，且其意思也是兩語素義的直接相加，將其以詞的形式納入《現漢》不太規範。“吃零嘴”、“不道德”、“壞分子”是片語，但不是固定片語，將它們收錄顯得缺乏理據性與必要性。（2）一些過時的詞語，這些詞語存在於普通話系統之中，往往有其他更爲規範的詞語來替代它們，如：“放課（由‘放學’或‘下課’代替）、改業（由‘改行’代替）、紀念（由‘惦記’或‘掛念’代替）、勞改犯（由‘罪犯’代替）、保外執行（由‘監外執行’代替）”等等。（3）一些品味低級的詞語，如：“操蛋、吃槍子、報屁股、屁股簾子、乏貨”等。這裏的品味低級不是專指特別消極的詞語而是指一些粗俗的且語用價值不高的詞語。比如“報屁股”，它的意思是“報紙版面上的最後的位置，含詼諧意”。它雖然不表示消極的意思，但是卻比較粗俗，使用的價值不高。

三、條目增刪的動因

（一）社會發展推動詞語新陳代謝

社會的發展，推動詞語的新陳代謝。首先，科學技術的日新月異，一方面使得生活、生產設施日益更新，新事物、新概念不斷產生，代表它們的新詞語也隨之進入語言發展的長河之中，受到人們的關注；另一方面也使得舊技術與舊設施逐步被社會淘汰，舊事物、舊概念漸漸遠離我們的時代，代表它們的詞語逐漸淡出我們交際的範圍。第二，各個國家、地區甚至各個行業之間的緊密聯繫，多元文化之間的交流互動、融合滲透，都使得作爲思維工具和交際工具的語言，尤其是它的詞彙非常靈敏、活躍。比如新版所增加的外來詞"酷、秀、曲奇、卡丁車、沙丁魚"等，再如新吸收的發達地區的方言詞"量版店、派隊、二奶"等。普通話對外來詞、方言詞、行業用語等的合理吸收與摒棄都是對中外、以及各地區文化交流的一種反映，也是對經濟、文化較發達地區的詞語強勢入侵其他地區的一種見證。第三，我們處於資訊浩瀚繁雜、瞬息萬變的時代，傳媒如網路、電視、廣播，報紙它們的力量異常強大。正因爲有他們的推廣，詞語傳播速度與力度大大提高，有利於普通話系統及時選擇並吸收高頻詞語，更好的引導人們正確地認識和使用。比如"願景"一詞，政治力量加上媒體的大肆宣傳，使這樣一個新詞語能夠在很短的時間裏爲眾多人們所熟悉和運用。

（二）人們的主觀性給詞語更新帶來的影響

語言雖然是客觀的，但是作爲運用語言的主體我們帶有主觀性。人們的認識和選擇對語言詞彙的更新有著很大的影響。一方面，從心理來說，我們總是需要求新、求異，豐富自己的詞彙，更爲準確簡潔的表達我們的思想，這就爲新詞語能夠廣泛傳播而通行，過舊的詞語無人問津而沒落，埋下了伏筆。另一方面，面對不同的物件，人們要根據自己不同的需要選擇詞語，或俗或雅，或詼諧或嚴肅，這也爲使用頻率較高的口語詞、書面語詞進入普通話系統提供了便利。再者，人們的思維方式、生活理念、審美情趣、價值觀念等等也不會一成不變，而是隨著社會的發展、時代的變遷而逐步增添新的元素，褪去陳舊的色彩，這也爲一些代表新思想的詞語提供了發展的空間，而限制了有些過時詞語的運用。

（三）語言發展的類推作用促進詞語的發展

面對新事物、新概念的出現，漢語會運用語言規律來創造新的詞語。我們可以從以下三個方面看：（1）從音節上來說，雙音化仍是主流，這符合語言經濟、簡約的原則，因此語言使用者常常對多音節詞語進行縮略，如："非典、灰市、空警、三農"等。但是，漢語中雙音節詞也會參與造詞來表達新事物、新概念，所以三音節和三音節以上的詞語也有相當數量，如："黃金周、零距離、雙學位、行爲藝術、有氧運動"等等。（2）從附加構詞能力來說，某一意義還未虛化的"准詞綴"可以形成一批帶有該詞綴的新詞語，首碼如"小"："小環境、小廣告、小考、小站"等；尾碼如"制"："獨任制、公司制、合議制、記名制、普惠制"等。這種准詞綴從形式上看和以往的詞綴相似，固定地位於詞頭或詞尾，具有很強的構詞能力，可以不斷地創造新詞。（3）

從詞族現象來說，新增補的詞語中常出現具有某一特徵的一群詞的聚合現象。除上述我們談到的附加詞綴可以形成詞族以外，流行詞構造的新詞語也可以形成詞族。比如由“網路”類推而形成的詞族：“網路教育、“網路文學、“網路學校、網路語言、網路銀行”等。再如由“生態”類推形成的詞族“生態建築、生態旅遊、生態科學”等。所以，語言發展的類推作用無疑是推動詞語更新的有效因素。

（四）《現漢》本身的規範性作用

《現漢》無論是吸收詞語還是刪減詞語都非常的謹慎、嚴格。為突出其時代性，她推陳出新，適時刪減舊詞舊語，增補穩定而合理的新詞新語；為突出致用性，在時間上她承古用今兼收部分通行的舊詞語、古語詞、文言詞語，在空間上她吸納常見的方言、行業用語、專業術語等等；為突出規範性，她選詞注重合理性和品位原則，更好的展示我們民族共同語的精神面貌。總之，新版《現漢》是以社會認可為準繩，追求人們需用詞彙的最大公約數。

第六章　餘　論

現代漢語詞典不同於古代漢語詞典，它基本上是一個開放系統。不僅要有相對的穩定性，要有可信的精確性，還要永葆其現代性、當代性的特點，永遠要與實際語言保持親密的關係。新版在這些方面作出了很大的努力，對舊版的義項、釋義、用例、條目等方面進行了補足、求精、更新、修正。我們以計量統計的方式對此進行了描寫，有以下三點結論：

一是：義項、釋義、用例、條目四方面，在修訂方式上都是以增補爲主。新版對舊版各方面資訊進行增補，目的在於對其進行補遺或豐化。詞典編纂受時間、人員等的限制，一些本該收錄的內容會被遺漏，需要補充和完善。語言處於不斷的發展之中，新的表達方式不斷在我們日常生活之中出現，一些爲公眾普遍接受的新詞新義，需要及時錄入詞典，才能使詞典能夠忠實的反映語言實際運用的情況。

二是：義項、釋義、用例、條目四方面，在內容上更具時代性。不論是增，是刪，還是改，新版都能夠緊扣時代主題，反映時代變化。比如，電腦、網路的流行，促使“桌面”、“訪問”、“檔”等新義的產生與普及，促使“網路銀行”、“網路文學”等新詞語的流通與發展，新版適時地將它們收入辭書；再如，新的時代提倡保護自然、保護動物等，新版在修訂釋義時就刪去了許多表示珍稀動物身上能爲人謀利的語義特徵，在用例方面也體現宣導環保的一面。

三是：義項、釋義、用例、條目四方面的修訂，突出了新版對準確性的把握，彰顯了新版對規範性、系統性的高要求。釋義修訂中，新版對每一個釋語的置換，都是經過深思熟慮，都是爲了更準確的反映詞義，細緻之處令人折服；用例修訂中，每一處用例的修訂，比如增加了一個“著”，都是爲了更準確的反映被釋詞語的用法；義項修訂中，在同音形條目義項分合上所作的新處理，使現漢的體例更趨一致；條目修訂中，“也叫”等副條條目的增補、配套詞的增補、不規範條目的刪減、品味低級詞語的刪減等都可以說明新版在收錄現代漢語普通話詞彙時所體現的規範性，以及詞典內部的系統性。

新版對舊版修訂佳話連連，目不暇接。一部精品詞典，原先的品質已經相當高了，很多地方的修訂確實也是經過了深思熟慮的，但由於著眼點的不同，可能還有值得進一步斟酌的地方，這裏我們僅舉幾例加以說明：

一是：新版在義項刪減方面有個別地方有待斟酌。如：舊版“抱[1]”有 7 個義項，第 5 個義項爲：“〈方〉（衣鞋）大小合適”，新版將這第 5 個義項刪去，但是卻在“抱”這個單字條目下，又列出了“抱身兒”這個多字條目，“抱身兒”的“抱”的意思就是新版所刪除的第 5 個義項。再如：舊版“袋”有 3 個義項：①（～兒）口袋。②（～兒）量詞，用於裝口袋的東西：兩～面兒｜一～兒洗衣粉。③量詞，用於水煙或旱煙。新版將舊版的義項②刪去了，但是“袋”作爲量詞表示“兩面～兒｜一～兒洗衣粉”這樣的用法很多，也很常見，具有普遍使用的意義，是否刪除，還是值得商榷的。

二是：在釋義方面，有些釋義的準確性、簡潔性、規範性、完整性還有待提高。如：

【監守自盜】

舊版：盜竊自己所看管的財物。（P614）

新版：看管人盜竊自己所看管的財物。（P663）

“監守自盜”舊版釋義其實已經很明確，新版增補“看管人”有些多餘。因爲釋義中已經明確指出盜竊的財物是“自己所看管的”,行爲的主體已經不言而諭,所以無需再加上“看管人”。

【意外】①

舊版：意料之外：感到～/～事故。（P1496）

新版：意料之外的：感到～/～事故。（P1618）

“意外”爲形容詞，從用例中我們可以看出“意外”不僅僅可以做定語，還能做其他成分。新版採用“……的”式釋義有些不妥。

【警鐘】

新版：報告發生意外或遇到危險的鐘，多用於比喻。（P725）

【寶庫】

新版：儲藏珍貴物品的地方，多用於比喻。（P46）

“警鐘”、“寶庫”新舊版釋義並無區別，但是，“警鐘”與“寶庫”的比喻義已經非常普及，所以“警鐘”釋義中應該補充“比喻意外、危險到來之前的一種提醒”，“寶庫”宜增補“比喻極有價值或極有意義的事物”。

三是：新版有些釋語特別是指示詞缺乏規範性、統一性。新舊兩版本指示詞的變化，我們雖然沒有納入上文的計量分析，但是我們在整理材料時發現新版在指示詞應用方面，缺乏規範性，不利於保持釋義元語言的一致性。如：

“指”、“稱”的混用。如：

【老媽子】

新版：舊時指年齡較大的女僕。也叫老媽兒（P819）

【赤腳醫生】

新版：20 世紀 60-70 年代指農村裏亦農亦醫的醫務工作人員。P185

【總裁】

新版：①元代、清代稱中央編纂機構的主管官員，清代也用來稱主持會試的大臣。（P1813）

【窮措大】

新版：舊時稱窮困的讀書人（含輕蔑意）也說窮醋大。（P1119）

“老媽子”、“赤腳醫生”、“總裁”、“窮醋大”都表示人的一種稱謂，但是它們的指示語卻不盡相同，有的用“指”，有的用“稱”，缺乏一定的規範性。

搭字頭眼花樣多。“舊時指”、“舊指”，“多指”、“通常指”，“比喻”、“也比喻”等搭頭字眼太多。如：

【工館】

新版：舊時指官員、富人的住宅。（P472）

【烈女】

新版：①舊指剛正有節操的女子。（P860）

【幼兒】

新版：幼小的兒童。一般指學齡前的兒童。（P1656）

【哮喘】

新版：氣喘，通常指喘息時喉嚨帶鳴聲的。（P1503）

【婚變】

新版：家庭中婚姻關係的變化。多指夫妻離異。（P614）

【凡響】

新版：平凡的音樂，比喻平凡的事物。（P375）

【首戰】

新版：第一次交戰，也比喻第一次進步競賽。（P1258）

“工館”搭頭字眼爲“舊指”，“烈女”卻爲“舊時指”。“幼兒”、“哮喘”、“婚變”釋義中分別出現“一般指”、“通常指”、“多指”，這三種搭頭字眼並沒有多大的區別。“凡響”、“首戰”中分別出現“比喻”、“也比喻”，兩種搭頭字眼更無區別。這搭頭字眼花樣多的現象在《現漢》中並不是個別情況。

四是：有些用例的刪減還需要斟酌。如：

【罵街】不指明對象當眾謾罵。

舊版：潑婦～。

新版：（無例子）

【圍獵】從四面合圍起來捕捉禽獸。

舊版：嚴禁～珍禽。

新版：（無例子）。

舊版“潑婦罵街”這樣的用例，雖有性別歧視之嫌，但畢竟一者告訴了讀者“罵街”一詞的用法特點，二者也暗示人們“罵街”是一種不好的行爲，新版似以不刪爲妥；例（36）舊版用例也如此：既展示了“圍獵”一詞的用法特點，同時也是在宣導人們不要圍獵珍禽，新版似宜不刪。

五是：詞目的增刪有些地方也還需考慮。如：

新版刪除的個別條目是在釋義中出現的詞語。如“槽糕 —— 也叫槽子糕”，新版、將以副條出現的“槽子糕”刪除，不太合理。再如“天花 —— 也叫痘或痘瘡”，新版將以副條出現的“痘瘡”刪除，也值得商榷。

新版刪除了個別配套詞條。如：“赤貧：窮得什麼也沒有”。“次貧：貧窮程度比赤貧較低的”。“赤貧”與“次貧”表示不同級別的貧窮，新版保留“赤貧”而刪除“次貧”是值得商榷的。

新版刪除了一些常用詞語。如新版刪除“謀臣”，卻保留與之詞義相近，結構相同的“謀士”。再如新版刪除“海洋學”，卻保留“地質學”、“生物學”、增加“歷史學”、“犯罪學”等學科名稱。

新版增加專業性相對較強和分類過細的詞語，不易於理解。如：“吣吩、啰唑”等。

當然，上述這些相對於新版在義項、釋義、用例、詞目等層面所進行的大量的成功的修訂而言是微不足道的。從前面我們的計量統計來看，新版修訂是非常全面而且細緻的，幾乎每條詞語都是經過編纂者仔細斟酌、精心篩選的，他們在各個修訂環節所體現的精益求精的精神是令人敬佩的，更是值得我們學習的！

參考文獻

著　作：

曹煒：《現漢漢語詞義學》，學林出版社，2001。

曹煒：《現漢漢語詞彙研究》，北京大學出版社，2003。

符淮青：《現代漢語詞彙》，北京大學出版社，1985。

符淮青：《詞的釋義》，北京出版社，1986。

符淮青：《詞義的分析與描寫》，語文出版社，1996。

符淮青：《詞典學詞彙學語義學論集》，商務印書館，2004 版。

葛本儀：《現代漢語詞彙學》，山東人民出版社，2001。

郭良夫：《詞彙》，商務印書館，1985。

郭良夫：《詞彙與詞典》，商務印書館，1990。

韓敬體編：《〈現代漢語詞典〉編幕學術論文集》，商務印書館，2004。

胡裕樹主編：《現代漢語》（重訂本），上海教育出版社，1995。

黃伯榮、廖序東主編：《現代漢語》（增訂二版），高等教育出版社，1997。

黃建華：《詞典論》（修訂版），上海辭書出版社，2001。

黃建華 陳楚祥.雙語詞典學導論，商務印書館，2001。

李如龍、蘇新春編《詞彙學理論與實踐》，商務印書館，2001。

李爾鋼：《詞義與辭典釋義》，上海辭書出版社，2006。
劉叔新：《漢語描寫詞彙學》，商務印書館，1990。
劉中富等：《對比描寫與統計分析》，山東人民出版社，2006。
呂叔湘主編:《現代漢語八百詞》(增訂本)，商務印書館，2003。
蘇寶榮：《詞義研究與辭書釋義》，商務印書館，2000。
蘇新春：《漢語詞義學》，廣東教育出版社，1992。
蘇新春等：《漢語詞彙計量研究》，廈門大學出版社，2002。
蘇新春、蘇寶榮編：《詞彙學理論與應用》（二），商務印書館，2004。
孫良明：《詞義與釋義》，湖北教育出版社，1985。
王力：《漢語史稿》，中華書局，1980。
王彥坤編：《現代漢語三音詞詞典》（增訂本），語文出版社，2005。
武占坤、王勤:《現代漢語詞彙概要》，內蒙古人民出版社，1983。
章宜華 雍和明：《當代詞典學》，商務印書館，2007。
張永言：《詞彙學簡論》，華中工學院出版社，1982。
張志毅、張慶雲：《詞彙語義學》，商務印書館，2001。
中國社會科學院語言研究所詞典編輯室編:《現代漢語詞典》(2002增補本），商務印書館，2002。
中國社會科學院語言研究所詞典編輯室編：《現代漢語詞典》，商務印書館，2005。
中國社會科學院語言研究所詞典編輯室編：《漢英雙語現代漢語詞典》（2002 年增補本），外語教學與研究出版社，2002。
中國社會科學院語言研究所詞典編輯室編：《〈現代漢語詞典〉五十年》，商務印書館，2002。

茲古斯塔：《詞典學概論》，商務印書館，1983。
周薦主編：《二十世紀現代漢語詞彙論著指要》，商務印書館，2004。
周薦：《詞彙學詞典學研究》，商務印書館，2004。
周祖說：《漢語詞彙講話》，人民教育出版社，1959。

論　文：

白雲：《詞義概念與語文詞典釋義》，《山西師大學報》2004 年第 1 期。
曹煒：《〈現代漢語詞典〉第 5 版在釋義表述上的修訂及存在的問題》，《學術交流》2006 年第 2 期。
曹煒：《詞義派生的新途徑 — 詞義的嫁接引申》，《學術交流》2005 年第 12 期。
曹煒：《三部主要語文詞典在標注上存在的問題 — 詞典編纂中的同一性問題探討之一》，《辭書研究》2002 年第 2 期。
曹煒：《關於同形二字組詞目及義項的分合》，《江蘇大學學報》2003 年第 1 期。
曹國軍：《當代漢語新詞語的八大特點》，《閱讀與寫作》2005 年第 2 期。
曹國軍：《〈現代漢語詞典〉第 5 版對語言規範的修訂》，《現代語文》2006 年第 3 期。
陳章太：《〈現代漢語詞典〉及其第五版的收詞》，《語言文字應用》2006 年第 1 期。
晁繼周：《語言規範 辭書編纂與社會語言生活》《辭書研究》2005 年第 2 期。

晁繼周 單耀海 韓敬體：《關於規範型詞典的收詞問題》，《語言文字應用》1995 年第 2 期。

晁繼周《樹立正確的語文規範觀是編好規範型詞典的關鍵》，《語言文字應用》2004 年第 2 期。

陳汝法：《釋義要十分審慎 —— 四論詞義研究和語文詞典編纂》，《辭書研究》2002 年第 3 期。

杜翔：《〈現代漢語詞典〉第五版的釋義改進》，《中文自學指導》2005 年第 5 期。

杜翔：《時代性 準確性 系統性 —— 論第 5 版〈現代漢語詞典〉釋義的修訂》，《辭書研究》2006 年第 1 期。

符淮青：《略談〈現代漢語詞典〉（第 5 版）標注詞類的作用》，《辭書研究》2006 年第 2 期。

韓敬體：《全面反映漢語詞彙發展的新面貌 —— 談第 5 版〈現代漢語詞典〉的收詞問題》，《辭書研究》2006 年第 1 期。

韓敬體：《增新刪舊，調整平衡 —— 談〈現代漢語詞典〉第 5 版的收詞》，《中國語文》2006 年第 2 期。

何久盈：《〈現代漢語詞典〉第 5 版的新面貌》，《語言文字應用》2006 年第 1 期。

何毓玲：《從〈現代漢語修訂〉再談語文辭書編纂的規範性》，《中國編輯》2007 年第 3 期。

薑同絢：《類推機制視角下的新詞語論略》，《語言文字應用》2006 年第 6 期。

賈采珠 呂京《第 5 版〈現代漢語詞典〉哲社條目修訂概述》《辭書研究》2006 年第 1 期。

力量：《談同素倒序詞的規範化問題》，《淮陰師範學院學報》，

1993 年第 1 期。

李爾鋼：《兼類詞義項的設置和詞性標注問題》，《辭書研究》2006 年第 3 期。

李建國：《語文詞典修訂的現代自覺》，《辭書研究》2006 年第 2 期。

李建國：《論語文詞典收詞釋義的系統與平衡》，《辭書研究》2005 年第 3 期。

李志江：《第五版〈現代漢語詞典〉科技條目的修訂》，《辭書研究》2006 年第 1 期。

劉叔新：《詞語的意義和釋義》，《辭書研究》1980 年第 4 期。

劉叔新：《釋義中的區別性特點問題》，《語言文字應用》.1994 年第 1 期。

陸儉明：《詞彙教學與詞彙研究之管見》，《江蘇大學學報》2007 年第 4 期。

沈家煊：《語用原則、語用推理和語義演變》，《外語教學與研究》2004 年第 4 期。

沈家煊：《詞典編纂“規範觀”的更新》，《語言教學與研究》2005 年第 3 期。

蘇寶榮：《詞的語境義和功能義》，《辭書研究》2001 年第 1 期。

蘇寶榮：《詞義的動態考察與現代語文辭書釋義》，《河北師範大學學報》2008 年第 6 期。

蘇寶榮：《詞的語境義與功能義》，《辭書研究》2001 年第 1 期。

蘇寶榮：《詞的功能的遊移性與功能詞義研究》，《語文研究》2003 年第 4 期。

蘇新春：《當代漢語變化與詞義歷時屬性的釋義》，《中國語文》

2000 年第 2 期。

蘇新春：《〈現代漢語詞典〉第五版及對進一步完善的期望 — 兼談“現漢學”的建立》2007 年 9 月。

譚景春：《詞的意義、結構的意義與詞典釋義》，《中國語文》2000 年第 1 期。

譚景春：《關於由名詞轉變成的形容詞的釋義問題》，《辭書研究》2001 年第 1 期。

譚景春：《關於第 5 版〈現代漢語詞典〉的詞類標注》，《辭書研究》2006 年第 1 期。

王楠：《用語不同，作用有別 — 談〈現代漢語〉釋義中“也叫”、“也作”、“也說”》，《語文研究》2004 年第 1 期。

王吉輝：《詞語的時代色彩與詞語的使用》，《理論與現代化》2001 年第 2 期。

王希傑：《關於詞義的層次問題的思索》，《漢語學習》1995 年第 3 期。

解正明：《語文詞典釋義括注體例的一致性》，《辭書研究》2003 年第 2 期。

徐慶凱：《增新·補缺·求准·精准 — 評〈現代漢語詞典〉百科條目的修訂》，《語言文字應用》2006 年第 1 期。

徐樞：《談談〈現代漢語詞典〉修訂本）對虛詞條目的處理》，《語言文字應用》1997 第 1 期。

于根元、王鐵琨、孫述學《新詞新語規範基本原則》，《語言文字應用》2003 年第 1 期。

張博：《〈現漢〉（第 5 版）條目分合的改進及其對漢語詞項規範的意義》，《語言文字應用》2006 年第 4 期。

趙大明：《辭書編寫中有關義項處理的幾個新問題》，《語言文字應用》，1994 年第 6 期。

張小平：《當代漢語詞素義的發展演變機制探析》，《漢字文化》2008 年第 1 期。

周薦：《詞語觀的建立和完善與詞典收目》，《辭書研究》2004 年第 6 期。

周薦：《新詞語的認定及其爲詞典收錄等問題》，《江蘇大學學報》2007 年第 3 期。

朱永鍇 林倫倫：《二十年來現代漢語新詞語的特點及產生管道》，《語言文字應用》1999 年第 2 期。

後　　記

“漢語是極美麗的，但研究漢語的過程是艱辛的。”這是我的導師——蘇州大學曹煒先生在 2006 年給我們新入學的研究生上第一節現代漢語詞彙研究課時說的話。五年過去了，我對這句話記憶猶新，也正是這句話，讓我對現代漢語詞彙始終保持探討的熱情。呈現在讀者面前的這本書，原型是我研究生階段的畢業論文。當時在曹煒先生的帶領下，我們四個在他門下的 2006 級研究生對比了 1965 年—2005 年各階段的《現代漢語詞典》的變化，旨在研究共時條件下，詞彙的發展演變的軌跡。我承擔的是 2002 年版《現代漢語詞典》與 2005 年《現代漢語詞典》第 5 版的比對工作。我們從一點一滴做起，語料錄入，屬性標注，分類整理，參閱文獻，分析論述，總結歸類，最後撰寫論文。正如曹煒先生所言，研究漢語的過程是艱辛的，我們統計兩版本收詞的差異、立目的差異、詞義項的增減、詞義表述的差異、用例的差異等等，用了三年的時間，原先兩本嶄新的詞典經過每天反復翻閱對比，已經變得破爛不堪。但也正是因爲經歷了這種研究的過程，我們才慢慢學會了詞彙計量統計的方法；也正是通過對語料的精細對比與分析，加上閱讀、消化詞彙學、詞典學的已有研究成果，我們才初步瞭解了詞彙學的研究方法，才能從點滴詞彙現象中發現現代漢語詞彙的發展演變軌跡。我們也更加理解了現代漢語詞彙學的廣博與美麗。

2009 年我碩士畢業，參加了工作，在淮陰師範學院做了一名輔導員，工作雖然繁忙，但是我仍然捨不得放棄漢語言文字學專業，繼續對我的畢業論文進行修改。雖然行文也有不成熟之處，文中許多觀點還顯簡淺，但是這些觀點都是建立在第一手資料分析的基礎上的。這種定量的研究方式，開啓了我對現代漢語學習與研究的大門，也讓我確定了今後“務實”研究的思路。文稿中的部分章節，經曹煒先生潤色修改並由他推薦，曾以論文形式在國內的著名學術期刊上發表，如發表在《語言研究》2009 年第 2 期上的《〈現代漢語詞典〉第 5 版用例修訂計量考察 —— 兼論〈現代漢語詞典〉第 5 版用例修訂的特點》，發表在《學術交流》2007 年第 11 期上的《〈現代漢語詞典〉第 5 版義項修訂計量考察》，發表在《文教資料》2009 年第 3 期上的《〈現代漢語詞典〉第 5 版詞目修訂計量考察》等等。

2011 年我調入淮陰師範學院社科處工作，科研工作本身以及周邊老師的影響，讓我開闊了眼界，使我更加有動力專注於我的現代漢語詞彙學專業方向。也正是這一年秋天，我的導師曹煒先生赴臺灣講學。經他與臺灣著名出版社 —— 文史哲出版社協商，文史哲出版社同意由曹煒先生選擇部分優秀畢業論文予以出版。非常的榮幸，我的論文也在其中。在這裏我要感謝文史哲出版社對我的學術研究的支持，更要感謝我的導師曹煒先生一直以來給我的鼓勵與幫助，還要感謝淮陰師範學院社科處領導與同事所給予我的一個充滿學術氛圍的環境。

詞彙計量研究的前景是廣闊的，在進行詞彙專題計量研究中，我深感有許多問題值得我們更加深入、更加系統地去探討。本部書稿雖然修改完畢了，但是對於我而言，現代漢語詞彙的研究才剛剛開始。

萬茹 2011 年秋
于淮陰師範學院